SÊR Y NOS YN GWENU

1 Ydych chi erioed wedi ceisio cyfrif y sêr? Ar noson dywyll gallwch weld cannoedd ohonyn nhw. Mae yna lawer mwy ond allwch chi mo'u gweld – maen nhw mor wan mae'n rhaid defnyddio telesgop i'w gweld.

2 Seryddwyr yw pobl sy'n astudio'r sêr. Maen nhw'n credu efallai bod can miliwn miliwn miliwn o sêr i gyd – sef 100,000,000,000,000,000,000!

3 Mae sêr yn edrych yn fach iawn o'r Ddaear. Ond petaech chi'n agos at seren, dyma'r math o beth fyddai i'w weld . . .

3

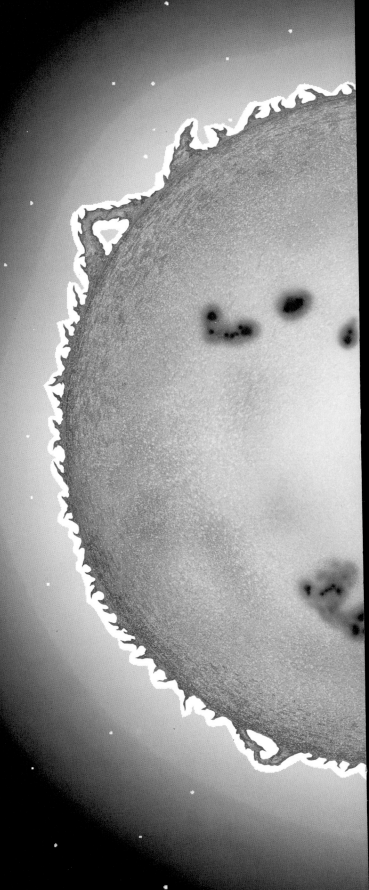

4 . . . pelen anferth o nwy chwilboeth yn disgleirio – yn ddigon tebyg i'n Haul ni. Yn wir, yr Haul yw'r seren agosaf atom!

5 Er bod yr Haul yn gymydog agos i ni, mae'n 150 miliwn cilometr i ffwrdd. Byddai'n cymryd tua 150 mlynedd i deithio mor bell â hynny mewn car!

6 Eto, petai'r Haul yn nes byddai pawb yn llosgi i farwolaeth. Mae'r Haul yn rhoi cymaint o wres â 1,000 miliwn miliwn miliwn miliwn o danau trydan. Mae hi'n boeth iawn, iawn yng nghanol yr Haul. Mae'r tymheredd yno tua 15 miliwn °C!

7 Mae'r Haul yn llachar dros ben hefyd. Peidiwch BYTH ag edrych yn syth ar yr Haul. Mae goleuni'r Haul mor gryf, gallai niweidio eich llygaid, hyd yn oed ar ddiwrnod niwlog.

8 Er hynny, dydy'r Haul ddim yn arbennig o boeth na llachar o'i gymharu â sêr eraill. Ac er y gallai lyncu miliwn o blanedau yr un maint â'r Ddaear, dydy'r Haul ddim yn arbennig o fawr chwaith.

9 Mae rhai o'r goleuadau bach a welwch chi'n disgleirio ar noson serog yn enfawr – yn ddigon mawr i lyncu miliwn o sêr fel ein Haul ni!

SÊR 5

LLUNIAU SÊR

1 Dyma Orïon, yr heliwr. Cytser yw Orïon, sef grŵp o sêr sy'n ffurfio llun – trwy gysylltu'r sêr o ddot i ddot a defnyddio'ch dychymyg!

3 Ymhell, bell yn ôl, roedd pobl yn creu straeon i egluro o ble daeth y sêr.

2 Wyddom ni ddim pwy oedd y cyntaf i lunio cytserau, ond fe wyddom fod hynny'n digwydd 5,000 o flynyddoedd yn ôl yn ardal y Dwyrain Canol.

4 Yr Hen Roegiaid oedd y cyntaf i dynnu llun Orïon. Yn eu straeon nhw, cawr a allai gerdded ar ddŵr oedd Orïon.

6 CYTSERAU

5 Roedd y Groegiaid yn credu bod Orïon wedi marw a bod y duwiau wedi'i roi yn yr awyr, lle mae'n ymladd cytser o'r enw Tawrws, y tarw.

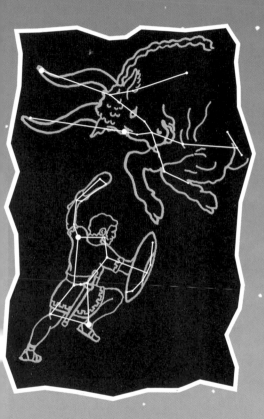

6 Mae'n gallu bod yn anodd gweld cytser. Allwch chi ddim gweld Orïon bob nos, ond mae'n un o'r rhai mwyaf clir – chwiliwch am y tair seren ddisglair sy'n gwneud ei wregys.

1 Mae pobl ledled y byd wedi edrych ar y sêr a gweld gwahanol batrymau erioed.

2 Cafodd Orïon ei enwi gan y Groegiaid bron 3,000 o flynyddoedd yn ôl. Tua 1,000 o flynyddoedd cyn hynny, roedd yr Hen Eifftiaid yn syllu ar yr un sêr a gweld un o'u duwiau, sef Osiris, duw y meirwon.

3

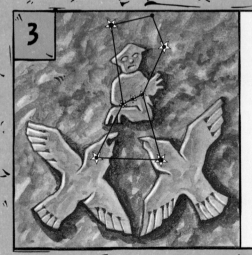

Roedd pobl y Moche yn byw yn Ne America dros 1,400 o flynyddoedd yn ôl. Iddyn nhw, roedd y tair seren yng ngwregys Orïon yn dangos adar enfawr yn cosbi lleidr trwy ymosod arno.

4 A thua 200 mlynedd yn ôl, roedd yr Indiaid Pownïaidd yn syllu ar y sêr uwchben gwastadeddau Gogledd America ac yn gweld tri charw yn rhedeg ac yn llamu drwy'r tywyllwch.

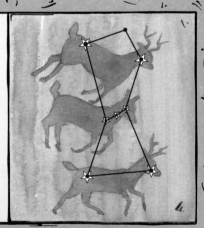

DILYN Y SÊR

1 Wrth deithio, mae'n bwysig iawn eich bod chi'n gwybod lle rydych chi ac i ba gyfeiriad rydych chi'n mynd.

2 Ers miloedd o flynyddoedd, mae teithwyr wedi defnyddio'r cytserau yn arwyddion i'w helpu i ddod o hyd i'r ffordd.

3 Mae dau gytser sy'n arbennig o ddefnyddiol, gan eu bod yn helpu i ddangos cyfeiriad y gogledd a chyfeiriad y de.

8 DOD O HYD I'R FFORDD

4 Mae cytser yr Arth Fechan yn pwyntio tua'r gogledd. Mae cytser Croes y De yn ddefnyddiol i ddod o hyd i'r de.

5 Mae'r cytserau yn ddigon tebyg i gwmpawd yn yr awyr. Os gwyddoch chi lle mae'r gogledd neu'r de, gallwch chi ddod o hyd i'r cyfeiriadau eraill hefyd.

1 Allwch chi ddim gweld pob cytser ar unwaith – dim ond y rhai sydd yn yr awyr uwch eich pen ar y pryd. Felly mae teithwyr yn hemisfferau'r gogledd a'r de yn defnyddio gwahanol sêr i ddod o hyd i'w ffordd.

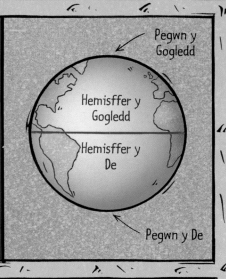

Pegwn y Gogledd

Hemisffer y Gogledd

Hemisffer y De

Pegwn y De

2

Croes y De

man canol

Achernar

Yn hemisffer y de, os edrychwch chi ar y man canol rhwng Croes y De a seren ddisglair Achernar, rydych yn wynebu tua'r de.

3 Yn hemisffer y gogledd, mae Seren y Gogledd yn pwyntio tua'r gogledd. Dyma'r seren sydd ar ben draw cytser yr Arth Fechan.

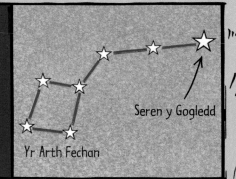

Seren y Gogledd

Yr Arth Fechan

4

Erbyn hyn, mae peilotiaid llongau ac awyrennau yn cael cymorth lloerennau i ddod o hyd i'w ffordd. Er hynny, mae peilotiaid newydd yn dal i ddysgu sut i ddefnyddio'r sêr – rhag ofn i'r offer modern dorri!

SÊR FFUG

1 O bryd i'w gilydd bydd 'seren' ryfedd yn disgleirio yn awyr y nos, ond yn diflannu ymhen ychydig wythnosau. Nid seren yw hon, wrth gwrs, ond comed.

2 Mae sêr go iawn wedi'u gwneud o nwy. Ond lympiau o eira a llwch yw comedau. Maen nhw mor fawr â mynyddoedd – ac yn debycach i beli eira budr na sêr!

1 Dyma fath arall o seren ffug. Bydd llawer o bobl yn galw hon yn 'seren wib', ond yr enw go iawn arni yw meteor.

2 Mae meteorau yn dechrau fel darnau bach o graig y gofod. Maen nhw mor fach â phys – gallai cannoedd ffitio ym mhoced gofodwr!

3 Mae comedau yn teithio'r gofod, rownd a rownd ein seren ni, sef yr Haul. Weithiau maen nhw'n agos iawn at yr Haul, ond dro arall maen nhw filiynau o gilometrau i ffwrdd.

4 Mae comedau yn ymddangos yn ddisglair, ond yn wahanol i sêr dydyn nhw ddim yn creu eu goleuni eu hunain. Allwn ni ddim gweld comedau nes eu bod nhw'n ddigon agos at yr Haul i'w oleuni ddisgleirio arnyn nhw.

5 Pan fydd comed yn agos at yr Haul, bydd yr eira yn berwi ac yn troi'n gwmwl llawn nwy. Mae'r cwmwl yn ymestyn y tu ôl i'r gomed fel cynffon.

3 Wrth i ddarnau o graig y gofod saethu drwy'r aer o amgylch y Ddaear, maen nhw'n llosgi ac yn diflannu. O'r ddaear maen nhw'n edrych fel goleuadau llachar yn gwibio ar draws awyr y nos. Yr enw ar y fflachiadau hyn o oleuni yw meteorau.

4 Mae rhai pobl yn credu mewn gwneud dymuniad os gwelwch chi seren wib. Ond cofiwch fod yn gyflym – maen nhw'n diflannu ymhen dim!

CAWOD YW'R ENW AR GRŴP O FETEORAU – CYWIR NEU ANGHYWIR?

METEORAU 11

GANWYD SEREN

1 Mae llawer o sêr yn awyr y nos, ond dydyn nhw ddim wedi bod yno erioed. Mae seren newydd yn cael ei geni rywle yn y gofod bob blwyddyn.

2 Mae sêr yn dechrau eu bywyd y tu mewn i nifwl – sef cwmwl anferth, tywyll o lwch a nwy.

3 O dro i dro bydd talpiau mawr o lwch a nwy yn dechrau chwyrlïo y tu mewn i'r nifwl, gan droi'n gynt ac yn gynt drwy'r amser.

4 Enw'r seryddwyr ar y talpiau yma yw cynser, sef "cyn-eu-bod-yn-sêr". Dros gyfnod o amser, gall un nifwl ffurfio miloedd o gynser. Yr enw ar un ohonyn nhw yw cynseren.

12 NIFYLAU

5 Wrth i'r gynseren droelli, mae'r llwch a'r nwy ynddi yn cael eu tynnu tuag i mewn nes eu bod yn bêl. Mae'r gynseren yn poethi hefyd, nes ei bod yn dechrau tywynnu.

6 Yn araf bach bydd y gynseren yn mynd yn boethach ac yn fwy disglair – nes, ryw noson, filiynau o flynyddoedd yn ddiweddarach, bydd seren newydd i'w gweld yn disgleirio yn yr awyr.

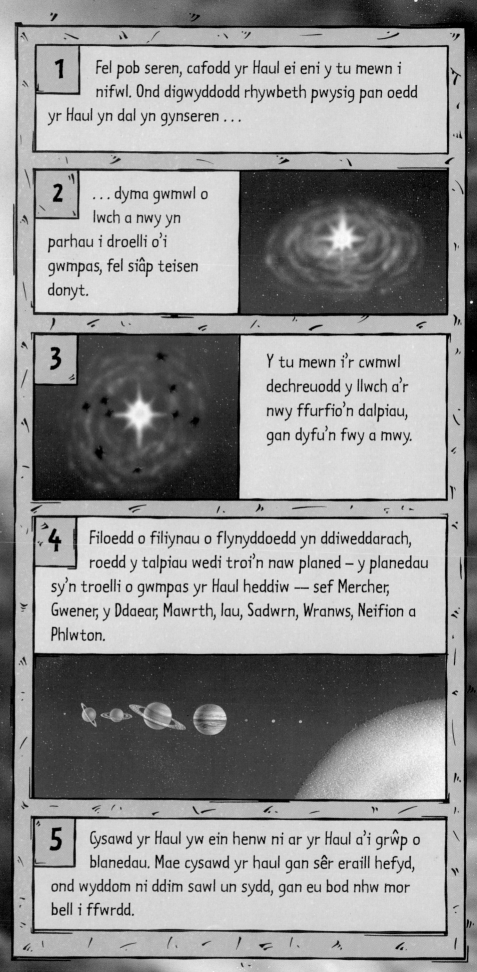

1 Fel pob seren, cafodd yr Haul ei eni y tu mewn i nifwl. Ond digwyddodd rhywbeth pwysig pan oedd yr Haul yn dal yn gynseren . . .

2 . . . dyma gwmwl o lwch a nwy yn parhau i droelli o'i gwmpas, fel siâp teisen donyt.

3 Y tu mewn i'r cwmwl dechreuodd y llwch a'r nwy ffurfio'n dalpiau, gan dyfu'n fwy a mwy.

4 Filoedd o filiynau o flynyddoedd yn ddiweddarach, roedd y talpiau wedi troi'n naw planed – y planedau sy'n troelli o gwmpas yr Haul heddiw — sef Mercher, Gwener, y Ddaear, Mawrth, Iau, Sadwrn, Wranws, Neifion a Phlwton.

5 Cysawd yr Haul yw ein henw ni ar yr Haul a'i grŵp o blanedau. Mae cysawd yr haul gan sêr eraill hefyd, ond wyddom ni ddim sawl un sydd, gan eu bod nhw mor bell i ffwrdd.

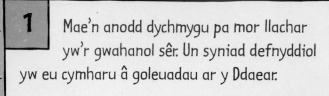

1 Mae'n anodd dychmygu pa mor llachar yw'r gwahanol sêr. Un syniad defnyddiol yw eu cymharu â goleuadau ar y Ddaear.

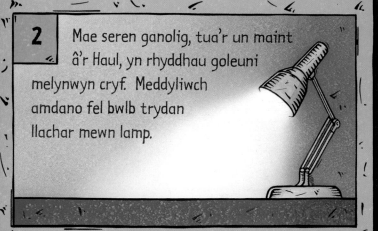

2 Mae seren ganolig, tua'r un maint â'r Haul, yn rhyddhau goleuni melynwyn cryf. Meddyliwch amdano fel bwlb trydan llachar mewn lamp.

3 Os yw'r Haul yn tywynnu fel lamp, mae cryfder y goleuni o gorrach coch yn fwy tebyg i'r golau bach coch ar set deledu.

4 Ond mae cawr glas mor enfawr a phoeth, mae ei oleuni mor gryf a llachar â goleudy!

1 Mae'r rhan fwyaf o sêr yn edrych yn eithaf tebyg o'r Ddaear. Ond pe bai'n bosibl i chi deithio drwy'r sêr byddech yn gweld eu bod i gyd o wahanol faint, a'u lliwiau a'u disgleirdeb yn wahanol, hefyd.

2 Sêr corrach yw'r enw ar y sêr lleiaf a'r lleiaf disglair. Sêr cawr yw'r enw ar y sêr mwyaf a'r disgleiriaf. A rhwng y ddau mae sêr maint canolig, fel yr Haul.

14 DISGLEIRDEB SÊR

CORRACH A CHAWR

3 Goleuni coch digon gwan sy'n dod o gorachod coch. Mae eu tymheredd hyd at 3,000 °C – mae'n swnio'n boeth, ond mae'n oer i seren.

4 Mae diamedr, neu led, sêr canolig, fel ein Haul ni, tua deg gwaith cymaint â chorrach coch. Maen nhw ddwywaith yn boethach, hefyd, a'u goleuni yn felyn ac yn ddisglair.

5 Ond mae sêr cawr glas yn dipyn o sêr! Mae eu diamedr hyd at ddeg gwaith yn fwy na'r Haul, ac maen nhw'n tywynnu 100,000 gwaith yn gryfach, gyda goleuni glas-wyn llachar iawn.

Y SÊR MWYAF CYFFREDIN YW CORACHOD COCH – CYWIR NEU ANGHYWIR?

DISGLEIRDEB SÊR 15

DISGLEIRDEB DWBL

1 Mae sêr newydd yn cael eu geni yn un teulu mawr o'r enw clwstwr. Wrth fynd yn hŷn, mae'r rhan fwyaf o'r sêr yn crwydro i dywynnu yn rhywle ar eu pen eu hunain.

2 Ond mae tua chwarter yr holl sêr sy'n cael eu geni yn efeilliaid. Maen nhw'n aros gyda'i gilydd gydol eu hoes. Sêr dwbl yw'r rhain.

3 Mae popeth yn y gofod yn teithio ar hyd ei lwybr anweledig ei hun, o'r enw orbit. Mae'r Lleuad yn teithio o amgylch y Ddaear, er enghraifft, ac mae'r Ddaear yn teithio o amgylch yr Haul.

1 Beth yw'r grym tynnu yma o'r enw disgyrchiant? Allwn ni ddim mo'i weld, ond byddem yn gwybod yn syth pe na bai yno. Heb ddisgyrchiant y Ddaear yn tynnu tuag i lawr, byddai popeth yn codi ac yn arnofio i'r gofod fel balŵns sydd wedi torri'n rhydd.

4 Drwy gydol eu bywyd mae sêr dwbl yn teithio o amgylch ei gilydd. Y rheswm am hyn yw bod grym tynnu pob un o'r ddwy seren – ei disgyrchiant – yn ddigon cryf i'w cadw gyda'i gilydd.

5 Mae rhai sêr dwbl yn agos iawn ac yn troi o gwmpas ei gilydd mewn ychydig oriau. Ond mae eraill mor bell fel y gall hyn gymryd miloedd o flynyddoedd!

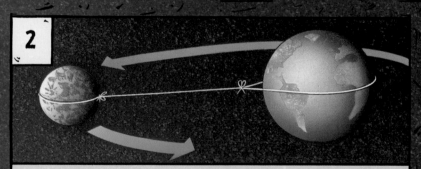

2 Disgyrchiant y Ddaear sy'n cadw'r Lleuad yn troi o'n cwmpas ni, hefyd. Y mae fel darn o linyn anweledig sy'n cadw'r Lleuad rhag hedfan i ffwrdd.

3 Mae disgyrchiant gan bopeth sydd yn y gofod. Po fwyaf yw ei faint, cryfaf yw'r disgyrchiant. Mae'r Haul lawer yn fwy na'r Ddaear ac mae ei ddisgyrchiant yn ddigon cryf i gadw pob un o'r naw planed a'u lleuadau yn troi o'i amgylch.

Y LLWYBR LLAETHOG

1 Gyda'r nos fe welwch chi lawer iawn o sêr. Dim ond rhan fechan yw'r rhain o gasgliad enfawr o sêr o'r enw galaeth.

2 Mae sawl galaeth yn y gofod. Enw ein galaeth ni yw'r Llwybr Llaethog. Mae'r llun hwn yn dangos ei siâp wrth edrych i lawr arno. Dim ond un o'r smotiau bach yw ein Haul ni, tuag un rhan o dair o'r ffordd o'r ymyl i'r canol.

3 Mae seryddwyr yn credu bod o leiaf 200 biliwn o sêr yn y Llwybr Llaethog. Ond peidiwch â dechrau eu cyfrif – byddai'n cymryd dros 60,000 o flynyddoedd i wneud hynny!

18 GALAETHAU

4 Fel popeth arall yn y gofod, mae'r Llwybr Llaethog yn chwyrlïo rownd a rownd. Ond nid yw'n symud yn gyflym iawn.

5 Yn wir, mae'n araf tu hwnt. Dim ond unwaith y mae wedi troelli (troi) ers adeg y deinosoriaid cyntaf ar y Ddaear, 220 miliwn o flynyddoedd yn ôl!

1 Mae galaethau o bob maint, yn union fel sêr, ac mae tri gwahanol fath ohonynt, hefyd.

2 Mae llawer yr un siâp â'r Llwybr Llaethog, gyda'u sêr yn chwyrlïo a throelli o'r canol. Galaethau troellog yw'r rhain. Wrth edrych i lawr arnyn nhw, maen nhw fel sbiral. Ond, o'r ochr, maen nhw'n debycach i siâp soser sy'n hedfan!

3 Mewn galaethau eliptigol, mae patrwm y sêr yn debyg i wy – yn siâp hirgrwn o'r enw elips.

4 Galaethau afreolaidd yw'r lleill – heb siâp arbennig o gwbl.

5 Mae gan y rhan fwyaf o'r galaethau enwau fel M33 ac NGC1275. Ond mae llysenw gan rai ohonynt hefyd. Er enghraifft, llysenw un pâr o alaethau troellog yw Y Llygod. Ydych chi'n eu gweld yn debyg i ddwy lygoden, a chynffon gan bob un?

1

Mae ein Haul ni yn seren ganol oed, maint canolig. Fe fu'n tywynnu ers bron 5,000 miliwn o flynyddoedd. Mae yna 5,000 miliwn o flynyddoedd eto cyn y bydd yn dechrau marw.

2

Yna'n araf, bydd yr Haul yn chwyddo ac yn mynd yn boethach ac yn boethach. Bydd y Ddaear yn rhostio yn y gwres. Bydd y capiau iâ yng Nghefnfor Arctig ac Antarctica yn ymdoddi, a'r afonydd a'r cefnforoedd yn berwi'n sych.

3

Ond bydd yr Haul yn dal i chwyddo nes troi'n fath o seren o'r enw cawr coch. Bydd tua 100 gwaith yn fwy nag yw heddiw, a 1,000 gwaith yn fwy disglair. Bydd yn pobi'r Ddaear yn golsyn.

4

Bydd cannoedd o filiynau o flynyddoedd yn mynd heibio, a bydd y rhan fwyaf o nwyon yr Haul yn arnofio i ffwrdd gan adael smotyn o oleuni gwyn llachar – sef corrach gwyn, seren tua'r un maint â'r Ddaear.

5

Bydd y corrach gwyn yn boeth iawn i ddechrau, ond bydd yn oeri'n araf. Ychydig o filiynau o flynyddoedd wedyn, dim ond smotyn bach gwan fydd yr Haul. Heb ei wres bydd y Ddaear wedi rhewi, yn farw.

SÊR DDOE

1 Does dim yn para am byth, ddim hyd yn oed seren. Ac yn union fel y mae sêr yn edrych yn wahanol i'w gilydd, mae eu diwedd yn wahanol hefyd.

2 Er enghraifft, am ychydig o filiynau o flynyddoedd yn unig y mae cawr glas yn tywynnu cyn dechrau marw.

3 Bryd hynny mae'n dechrau gorboethi, gan chwyddo fel balŵn nes troi'n fath enfawr o seren o'r enw seren gawraidd goch.

4 Bydd y seren gawraidd yn dal i fynd yn boethach ac yn boethach ac yn boethach, nes yn y diwedd . . .

SEREN YN MARW 21

BANG

5 Bydd y seren gawraidd yn ffrwydro fel bom anferth, gan hyrddio nwy a llwch i'r gofod ar gyflymdra o tua 10,000 cilometr yr eiliad!

6 Yr enw ar y seren yn ffrwydro yw uwchnofa, a dyma'r sioe oleuadau fwyaf anhygoel yn y gofod.

7 Mae'r olygfa mor llachar â biliwn Haul. Ac er bod y ffrwydrad drosodd o fewn eiliadau, bydd yr uwchnofa yn llosgi am wythnosau – neu hyd yn oed fisoedd.

8 Yn y diwedd, pan fydd y goleuni wedi diffodd, rhywbeth digon rhyfedd sydd ar ôl – pelen solid, ychydig gilometrau o led yn unig.

9 Dyma seren niwtron. Nid yw'n tywynnu, ond mae'n chwilboeth ac yn anhygoel o drwm. Byddai darn yr un maint â gronyn reis yn pwyso 100,000 tunnell fetrig, sef cymaint â llong dancer anferth â llwyth llawn.

10 Dydy seryddwyr ddim wedi gweld uwchnofa yn ein galaeth ni ers bron 400 mlynedd, ond maen nhw'n credu bod un yn ffrwydro rywle yn y gofod bob dydd. Pwy a ŵyr, efallai y byddwch yn ddigon ffodus i weld un yfory!

UWCHNOFÂU 23

MYNEGAI

Y prif ddarluniau gan Christian Hook (6); Lawrie Taylor (3); Ian Thompson (clawr, tudalen deitl, 4-5, 10-19, 21-23); Peter Visscher (8-9). Y lluniau wedi'u mewnosod a'r stribedi lluniau gan Ian Thompson. Diolch i Bernard Thornton Artists a Claire Llewellyn. Cysodwyd y llyfr hwn gan ddefnyddio Kosmik.

Dyluniwyd yr argraffiad Saesneg gwreiddiol gan Matthew Lilly a Tiffany Leeson, a'i olygu gan Paul Harrison. Ymgynghorydd: Carole Stott.

Cyhoeddwyd gyntaf yn 1998 gan Walker Books Cyf, 87 Vauxhall Walk, Llundain SE11 5HJ.
Addasiad Cymraeg Ken a Sian Owen.
Cyhoeddwyd yr argraffiad hwn yn 2001
© y testun 1998 James Muirden
© y darluniau 1998 Walker Books Cyf.
© y testun Cymraeg 2001 CBAC/ACCAC
Mae hawlfraint ar y deunyddiau hyn ac ni ellir eu hatgynhyrchu heb ganiatâd perchenogion yr hawlfreintiau.
Cyhoeddwyd trwy drefniant â Walker Books, Llundain.

Cyhoeddwyd dan nawdd Cynllun Cyhoeddiadau Cyd-bwyllgor Addysg Cymru â chefnogaeth
Awdurdod Cymwysterau, Cwricwlwm ac Asesu Cymru.

 CBAC

Mae Uned Iaith Genedlaethol Cymru yn rhan o WJEC CBAC Limited, elusen gofrestredig a chwmni a gyfyngir
gan warant ac a reolir gan awdurdodau unedol Cymru.
Argraffwyd yn Hong Kong. ISBN 1 85596 494 5

24

ATEBION Y CWIS

Tudalen 2 – ANGHYWIR

Canol seren yw'r rhan boethaf. Mae tymheredd arwyneb yr Haul yn cyrraedd tua 6,000 °C, er enghraifft, ond yn y canol gall y tymheredd fod yn 15,000,000 °C.

Tudalen 6 – ANGHYWIR

Mae 88 cytser nawr, ond ers talwm roedd llawer mwy. Yn 1922 cytunodd pwyllgor rhyngwladol o seryddwyr fod gormod o gytser a thynnwyd rhai oddi ar y rhestr.

Tudalen 8 – CYWIR

Mae gwyddonwyr yn credu bod rhai adar, fel y penlöyn, yn defnyddio'r sêr i'w tywys wrth hedfan tua'r de, oddi wrth aeafau oer y gogledd.

Tudalen 11 – CYWIR

Mae cawodydd meteorau yn eithaf cyffredin. Mae'r rhan fwyaf yn cael eu hachosi gan ddarnau o lwch y gofod yn disgyn oddi ar gomedau sy'n gwibio heibio.

Tudalen 12 – ANGHYWIR

Mae rhai gwyddonwyr yn credu mai dim ond tua chwarter yr holl sêr sydd â phlanedau.

Tudalen 15 – CYWIR

Mae rhai seryddwyr yn credu bod ychydig dros un rhan o dair o'r holl sêr yn gorachod coch.

Tudalen 17 – ANGHYWIR

Yn aml iawn, mae un o'r sêr dwbl yn llawer mwy llachar na'r llall.

Tudalen 18 – ANGHYWIR

Mae seryddwyr yn credu mai'r Llwybr Llaethog yw un o'r galaethau mwyaf yn y gofod.

Tudalen 20 – CYWIR

Mae nwy seren sy'n marw yn arnofio i ffwrdd, ac yn y diwedd mae'n ffurfio cwmwl nifwl.

Y Celtiad

Filoedd o flynyddoedd yn ôl roedd y Celtiad yn byw ar
hyd ac ar led Ewrop. Ffermwyr oedden nhw ac roedden
nhw'n rhannu'r flwyddyn yn ddwy ran   yr haf golau a'r
gaeaf tywyll. Roedden nhw'n gwybod fod yr haul yn
gwneud i'w cnydau dyfu. Fel roedd yr hydref yn dod,
roedd yr heulwen yn gwanio. Credai'r Celtiad fod y
gaeaf yn cadw'r haul yn garcharor am chwe mis.

Roedden nhw'n poeni rhag ofn i'r haul beidio dod
yn ôl. Felly, er mwyn gofalu y bydden nhw'n gweld yr
haul eto, roedden nhw'n cynnal gŵyl ar 31 Hydref.
Gŵyl Samhain roedden nhw'n ei galw hi bryd hynny.
Y dydd cyntaf o Dachwedd oedd dechrau eu gaeaf
nhw a hwn hefyd oedd dydd cyntaf eu blwyddyn
newydd, cyfnod pan oedd planhigion yn gwywo a
marw. Ni fyddai bywyd yn dod yn ei ôl tan yr haf
wedyn.

Yn ystod Samhain, byddai pobl yn cael eu
haberthu i'r duwiau gan fod y Celtiad yn credu y
byddai hyn yn eu plesio ac yn arwain at dywydd
da a ffermio llwyddiannus. Roedden nhw'n gadael
bwyd allan ar gyfer y meirw, gan fod pawb yn
credu y byddai ysbrydion hefyd yn dod yn ôl ar
y noson honno.

Coelcerth y Celtiaid

Yn ystod Gŵyl Samhain, roedd y Celtiaid yn gofyn i'r haul ddod yn ôl yn ddiogel yn yr haf. Roedden nhw'n diffodd pob tân coginio oedd ganddyn nhw. Yna bydden nhw'n mynd ati i gynnau coelcerthi anferth ar ochr y bryniau gan weddïo y byddai'r haul yn disgleirio'n danbaid pan fyddai'r gaeaf drosodd.

Ar fore'r ŵyl, byddai pawb yn dychwelyd i ochr y bryn, yn tynnu darnau o goed oedd yn dal i losgi allan o weddillion y coelcerthi ac yn cynnau tanau eraill â nhw. Roedden nhw'n credu y byddai'r tanau newydd yn dod â lwc dda. Wedyn, fe fydden nhw'n coginio gwleddoedd mawr ar y tanau. Gwisgai pawb ddillad arbennig wedi eu gwneud o grwyn anifeiliaid. Roedden nhw'n credu y byddai'r dillad, y penwisgoedd a'r mygydau ffyrnig yn eu hamddiffyn nhw rhag anlwc, rhag ysbrydion drwg a rhag y tylwyth teg.

Ar ôl cyfnod y Celtiaid daeth Dydd Gŵyl y Meirw yn enw arall ar yr ŵyl. Pan ddaeth Cristnogaeth i Gymru penderfynwyd cynnal Gŵyl yr Holl Saint ar Dachwedd y cyntaf. Roedd Calan Gaeaf yn enw arall y diwrnod hwnnw. Ystyr y gair 'calan' ydi 'diwrnod cyntaf', a Calan Gaeaf oedd diwrnod cyntaf y gaeaf i'r hen Gymry. Er mai 'noson neu noswyl Calan Gaeaf' y dylem alw ein dathliad ar 31 Hydref (hynny yw, y noson cyn dydd Calan Gaeaf), mae llawer yn ei alw'n Calan Gaeaf yn unig erbyn hyn.

Felly, mae Calan Gaeaf yn hen, hen ŵyl. Hydref 31 a'r Celtiaid yn gwisgo dillad crwyn anifeiliaid – dyna sut y dechreuodd y dathlu. Ac mae pobl wedi bod yn gwisgo dillad arbennig ar Galan Gaeaf byth ers hynny.

Rhag cael eu hadnabod a'u dal gan yr ysbrydion a'r bwystfilod rhyfedd a fyddai'n crwydro'n rhydd ar y noson honno, roedd pobl – a phlant yn arbennig – yn arfer cario lanterni meipen i daflu golau ar eu llwybrau. A dyna draddodiad arall sydd wedi parhau tan heddiw.

Byddai rhai hefyd yn ymuno yn y dathliadau drwy rwbio huddug neu barddu o'r simnai fawr ar eu hwynebau – byddai hyn yn eu hamddiffyn rhag ysbrydion drwg ac yn dod â lwc dda iddyn nhw. Rhag i'r ellyllon eu hadnabod a'u cipio, byddai merched yn gwisgo dillad dynion a dynion yn gwisgo dillad merched! Mae'r hwyl a sbri y bydd pawb yn ei gael wrth guddio y tu ôl i fwgwd a gwisg ryfedd i ddychryn pobl eraill yn rheswm mawr pam fod pobl wedi dal ati i wneud hyn am gannoedd o flynyddoedd.

Storïau Calan Gaeaf

Mae pawb ym mhobman yn mwynhau stori dda. Dyna pam y bydd miliynau ohonom yn gwylio ffilmiau ac operâu sebon ar y teledu y dyddiau hyn. Heddiw, os ydyn ni am gael ein diddanu, does dim rhaid inni wneud dim byd ond agor llyfr neu wasgu botwm teledu neu gyfrifiadur.

Ond doedd gan bobl erstalwm ddim pethau felly. Bydden nhw'n dod at ei gilydd i adrodd straeon a gwrando arnyn nhw ac i ddawnsio a chanu, yn enwedig yn ystod nosweithiau hir, llwm a thywyll pan nad oedd modd gweithio y tu allan. Byddai'r hen Gymry'n galw cyfnod y gaeaf yn 'Hirlwm'. Yn union fel mae'r storïau yn ein llyfrau a'n hoperâu sebon ni yn sôn am ein bywydau ni, bydden nhw'n arfer adrodd straeon am eu bywydau hwythau hefyd am y pethau oedd yn eu poeni a'u dychryn ac yn eu gwneud yn hapus.

Credai'r Celtiaid mai'r bobol fach, sef y tylwyth teg, oedd yn yn arfer byw yng Nghymru cyn iddyn nhw ddod yma. Roedden nhw'n meddwl fod y tylwyth teg yn gallu gwneud pob math o bethau hudol da a drwg. Petaech chi'n digwydd cerdded i mewn i gylch hud y tylwyth teg fe fyddech yn siŵr o gael eich swyno a'ch denu i fynd i'w gwlad. Roedd llawer yn poeni y byddai'r tylwyth teg yn eu cipio nhw, neu eu plant, i fyw yn eu gwlad am byth. Pryder arall oedd y byddai'r tylwyth teg yn dod i'w cartref ac yn dwyn babi bodlon, diddig oddi yno a gadael eu babi piwis, croes eu hunain yn ei le.

Bryd hynny hefyd, roedd ar bawb
bron ofn gwrachod. Noson Calan
Gaeaf oedd yr adeg y bydden nhw ar
eu gwaethaf ac yn codi allan i hedfan ar eu hysgubau.

Crwydrai pob math o fwystfilod hyll, erchyll o gwmpas. Mewn rhai ardaloedd roedd
arnyn nhw ofn ysbryd clamp o fochyn mawr, du heb gynffon. Mewn llefydd eraill roedden
nhw'n gofalu fod golau ar y lamp drwy gydol y nos er mwyn cadw'r ysbrydion drwg draw.

Felly, ar noson Calan Gaeaf, byddai pobl yn arfer dod at ei gilydd i adrodd straeon am
bethau a fyddai'n eu dychryn. Mae sesiynau stori Calan Gaeaf yn dal i fod yn boblogaidd
iawn mewn llyfrgelloedd ac ysgolion ar hyd a lled y wlad heddiw, ac fe gewch gyfle i
ddarllen hen straeon am y tylwyth teg ac ysbrydion Cymru yn y llyfr yma.

11

Hwch Ddu Gwta

Angenfilod afiach! Bwystfilod barfog! Creaduriaid cyfoglyd! Ellyllon erchyll!
Gwrachod gwarthus! Ffurfiau ffiaidd! Ysbrydion ysglyfaethus –
i gyd yn crwydro drwy'r cysgodion ar noson Calan Gaeaf!

Noson Calan Gaeaf,
Ladi wen
Ar ben pob pren!

Noson Calan Gaeaf,
Bwbach ar bob camfa!

Hwch ddu gwta
Ar ben pob camfa
Hwch ddu gwta
Yn cipio yr ola!

Mae heno'n nos Glangaea'
A bwci ar bob camfa,
A Jac-y-lantern ar bob hewl
Rhaid mynd cyn cael fy nala.

Adre, adre am y cynta,
Hwch Ddu Gwta gipio'r ola

Roedd yr hen Gymry'n credu bod Hwch Ddu Gwta yn rhedeg yn wyllt drwy'r wlad ar ddiwedd
y dathliadau wrth y goelcerth ac yn llyncu pob un oedd yn ddigon anffodus i gael ei ddal.
   Bwystfil oedd yr Hwch Ddu oedd wedi cael ei draed yn rhydd y noson honno. Dyma'r adeg
y byddai ffermwyr yn gollwng eu moch i'r coed i fwyta'r mes sydd ar y ddaear – a does dim
yn waeth na dod ar draws hwch fawr dywyll wrth fynd ar lwybr drwy'r goedwig a hithau'n
berfedd nos!

Jac-y-Lantern

Hen ddyn oedd yn rhy ddrwg i gael mynd i'r nefoedd oedd Jac-y-Lantern. Gan ei fod o wedi chwarae triciau ar y diafol hefyd, châi o ddim mynd i uffern chwaith. Felly mae o'n dal i grwydro o le i le gyda'i lantern yn dychryn pawb, medden nhw.

Beth petai Jac a'r pethau erchyll eraill yn llusgo ar hyd y llwybrau . . . i'ch tŷ chi? Yn sleifio drwy'r strydoedd . . . i'ch tŷ chi? Yn stwffio i'r stafelloedd? Yn gwthio i'r gegin? Yn llithro i'r llofftydd . . . yn eich tŷ chi?

Rhaid gwarchod rhag y gwrachod! Amddiffyn rhag yr afiach, yr arswydus a'r annaearol! Diogelu rhag y dieflig! Ond sut mae gwneud hynny?

Trowch y dudalen i gael gweld . . .

13

Lantern-Pen-Bwgan

Y ffordd i ddychryn ysbrydion drwg ydi gwneud Lantern-Pen-Bwgan erbyn noson Galan Gaeaf. Wiw ichi fod hebddi. Wir! Ond wyddoch chi be? Dydych chi ddim haws â phrynu un. Rhaid gwneud un i warchod eich cartref yn iawn. Felly, ewch ati ar unwaith!

Mae'n bosib defnyddio amryw o lysiau, ond y rhai mwyaf cyffredin ydi rwdan (neu swêj) neu bwmpen. Mae pwmpen yn feddalach na rwdan neu swêj, ac felly'n haws ei thrin.

Mae angen
- pwmpen
- cyllell finiog
- llwy fetel fawr
- pìn ffelt o liw tywyll
- cannwyll

1 Gofynnwch i oedolyn eich helpu i ddefnyddio'r gyllell finiog i dorri rhan uchaf y bwmpen i ffwrdd. Cadwch y rhan yma i'w defnyddio fel caead neu glawr ar y diwedd.

2 Gan ddefnyddio'r llwy, tynnwch y rhan feddal allan gan adael cragen rhyw 3cm o drwch

3 Defnyddiwch y pìn ffelt i dynnu llun llygaid, trwyn a cheg ar y bwmpen.

4 Gofynnwch i oedolyn dorri'r siapiau allan â'r gyllell finiog.

5 Gosodwch gannwyll y tu mewn i'r bwmpen.

6 Penderfynwch ble fydd y lle mwyaf effeithiol i'w gosod hi'n ddiogel a rhowch hi yn ei lle.

7 Gofynnwch i oedolyn oleuo'r gannwyll a rhowch y caead drosti.

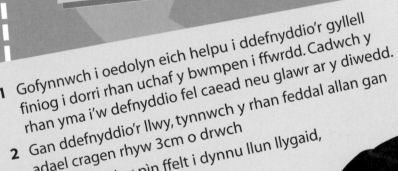

Ffrwtian Mewn Crochan

Beth am wneud potes pygddu yr hen wrach? Does dim byd gwell i'ch cynhesu ar noson Calan Gaeaf na diod boeth.

Fawr o awydd trwyth yr hen wrach? Wel, pwy wêl fai arnoch! Does wybod be sy yn hwnnw! Felly, beth am wneud cawl y byddwch yn gwybod yn union beth sydd ynddo?

Cawl Gwaed

Cawl coch, beth bynnag! Sut mae gwneud cawl gwaedlyd blasus?

- Does dim byd haws, ac mae'r peth pwysicaf gynnoch chi'n barod.
- Tu mewn y bwmpen, *heb yr hadau*. Peidiwch, da chi, â'i wastraffu.
- Gofynnwch am help i'w rostio yn y popty gyda nionod a thomatos. Ychwanegwch domatos o dun.
- Rhowch o drwy hylifwr.
- Ychwanegwch ddipyn o bupur a halen, a chynheswch y cyfan mewn sosban.

Bwyta Hadau

A beth am yr hadau? Golchwch nhw mewn dŵr a'u sychu â lliain. Rhowch nhw mewn bowlen gydag ychydig o olew coginio a mymryn o halen. Yna gosodwch nhw ar dun coginio a'u rhostio yn y popty am ryw chwarter awr. Gadewch iddyn nhw oeri cyn eu bwyta. Maen nhw'n hynod o flasus.

Mwclis Esgyrn

Dim awydd eu bwyta? Peidiwch â thrafferthu i'w rhostio. Gadewch iddyn nhw sychu am rhyw ddiwrnod neu ddau.

Rhowch gwlwm ar flaen darn hir o edau. Rhowch yr edau mewn nodwydd. Yna rhowch yr hadau ar yr edau i wneud mwclis a breichledau. Rhowch sgytiad i'r freichled neu'r mwclis! Gwrandewch! Glywch chi nhw'n clecian? Yn union fel esgyrn sychion!

15

Dowch am dro i'r Parti Bwci Bo

Mae'n hwyl smalio bod yn rhywun arall – yn enwedig rhywun neu rywbeth sy'n edrych yn ych-a-fi ac yn frawychus. A gorau oll os nad oes neb yn gwybod pwy ydych chi chwaith! Felly i gael parti Calan Gaeaf perffaith mae'n rhaid meddwl yn go galed sut i goluro gwyneb a gwneud gwisg ffansi.

Y Syniad

Pwy neu beth hoffech chi fod?
I hel syniadau, darllenwch drwy'r llyfr yma.
Dyma awgrym neu ddau:

Gwrach • Môr-leidr • Jac-y-lantern • Sgerbwd
Draciwla • Ffrancenstein • Dewin Drwg
Cath Gwrach • Bwystfil Gwyrdd • Ysbryd

Sut ben a sut ddillad sydd gan eich ddewis chi o gymeriad? Gwnewch ddarlun yn gyntaf. Ewch am dro o gwmpas y siopau. Ond peidiwch â phrynu gormod o bethau – mae'n hwyl gwneud eich pethau eich hun ac fe fyddwch yn siŵr o fod yn wahanol i bawb arall wedyn.

Gwisgoedd Gwyllt

Chwiliwch o gwmpas gartre am ddillad diddorol. Gall pethau syml iawn fod yn effeithiol; bag bin du yn glogyn, er enghraifft.

Coluro Crîpi

Cymerwch eich amser. Gwnewch ddarlun ar bapur yn gyntaf. Mae'n haws coluro ar y cyd gyda ffrind neu riant. Rhag gwneud llanast mawr, gwnewch hyn mewn stafell ymolchi!

Gwnewch aeliau dramatig.

Beth am graith? Gwaed? Blew? Dannedd miniog? Gallech liwio un o'ch dannedd blaen yn ddu gyda phensel coluro llygaid.

Ychwanegwch jel gwallt i godi mwy fyth o fraw ar bawb!

Bydd angen

- Bocs o baent wynebau sy'n cymysgu â dŵr
- Sbwnj bach i daenu a chyfuno lliwiau ar wyneb
- Brwsh paent main i dynnu llinellau
- Tiwbiau o baent gliter
- Pensel coluro llygaid (*eyeliner*)
- Tywelion
- Cadachau ymolchi neu becyn o '*wipes*' y gellir eu taflu
- Dŵr a sebon
- Drych
- Jel gwallt

Rhybudd Gwyliwch rhag ofn bod gennych arlergedd at y paent. Rhowch fymryn bach ohono ar eich llaw yn gyntaf ac arhoswch am ychydig cyn mentro colur

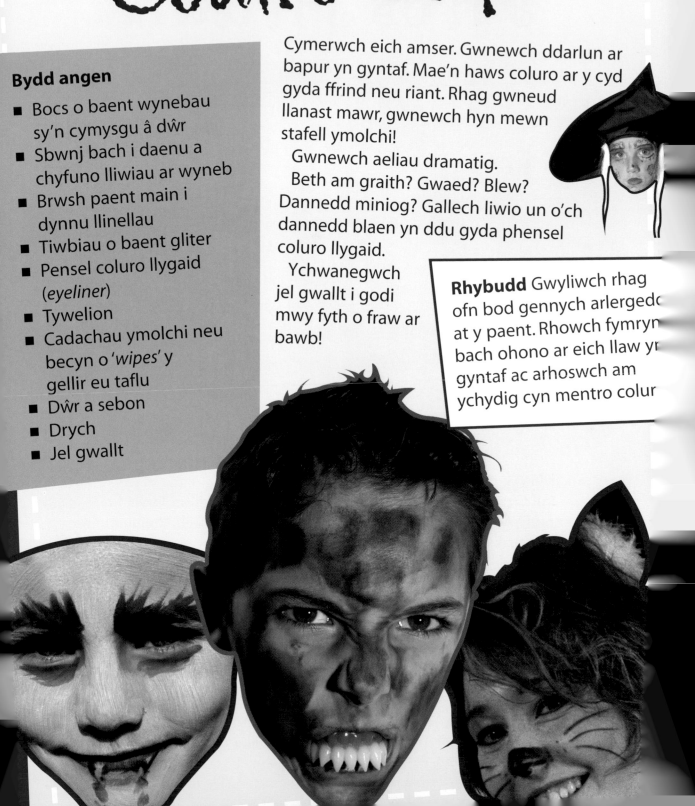

Aros Arawn

Yr hen enw ar sir Benfro oedd Saith Cantref Dyfed ac mae rhai o straeon gwerin enwocaf Cymru wedi'u lleoli yno. Mae stori yn y Mabinogi am Pwyll, brenin Saith Cantref Dyfed, yn cyfarfod ag Arawn wrth hela yn Glyn Cuch. Brenin Annwn, teyrnas y meirwon, oedd Arawn.

Yn yr un ardal, roedd ysbryd yn aflonyddu ar deulu oedd yn byw mewn ffermdy yn Aber cuch am flynyddoedd. Roedd yn deulu mawr, ac roedd angen llawer o lofftydd ar y teulu hwnw. Er hynny, roedd un llofft bob amser yn wag yn y tŷ.

Hon oedd stafell yr ysbryd. Yn nhrymder tawel y nos, gellid clywed yr ysbryd yn llefain yn dorcalonnus: 'Hir yw'r dydd a hir yw'r nos a hir yw aros Arawn.' Doedd neb yn medru cysgu yn y stafell ac yn wir, roedd gormod o ofn ar y teulu i fentro iddi gefn dydd golau hyd yn oed.

Un noson oer yn y gaeaf, roedd y teulu'n swatio wrth danllwyth o dân a'r drysau wedi'u cloi. Roedd yn dywydd mawr tu allan ond, yn sydyn, dyma glywed curo ar y drws.

'Pwy all fod yno yr adeg hon o'r nos a hithau'n dywydd mor ofnadwy?' holodd y ffermwr, gan godi i agor y drws.

Teithiwr blinedig oedd yno. Gwahoddodd y ffermwr ef i'r tŷ i gynhesu. Rhoddwyd powlenaid o gawl iddo. Roedd hi'n hwyr iawn erbyn hyn.

18

'Mae croeso ichi fwyta hynny hoffech chi,' meddai'r ffermwr, 'ond mae arna i ofn na allaf gynnig llety ichi er bod un stafell wag yn y tŷ.'

'Rydych chi wedi bod yn rhy garedig yn barod,' atebodd y dieithryn. 'Nid wyf am gymryd mantais arnoch.'

'Nid anfodlon rhoi croeso i chi ydyn ni, cofiwch,' esboniodd y ffermwr ar frys, 'ond poeni am eich diogelwch. Mae ysbryd yn y stafell honno. Ysbryd sy'n gweiddi'n druenus bob nos!'

'Twt, does arna i ddim ofn ysbryd,' wfftiodd y dieithryn. 'Rwyf wedi blino cymaint, mae'n siŵr na chlywaf ddim drwy'r nos!'

'O wel, os ydych chi'n siŵr . . .'

Aeth y ffermwr â'r teithiwr i fyny'r grisiau ac wrth ddrws y stafell wely, gofynnodd iddo'n sydyn:

'Chawsom ni mo'ch enw chi chwaith, ddieithryn. Beth ydyn ni i fod i'ch galw?'

Cerddodd y teithiwr i mewn i'r stafell wely. 'Arawn yw fy enw i,' atebodd, gan droi at y ffermwr. 'Nos da ichi.' Clywyd drws y llofft yn cau.

Ni allai'r ffermwr a'i wraig gysgu winc y noson honno, gymaint roedden nhw'n poeni am y teithiwr druan. Ond daeth dim sŵn o gwbl o'i stafell.

Pan aeth y ffermwr i guro ar y drws fore trannoeth i godi'r teithiwr, gwelodd fod y stafell wely yn hollol wag.

Ni chlywyd yr un ysbryd yn galw 'Hir yw'r dydd a hir yw'r nos a hir yw aros Arawn' fyth ar ôl hynny a bu'n bosibl defnyddio'r stafell i gysgu ynddi.

Noson yr ysbrydion

Draciwla clogyn du
Yng nghwpwrdd dillad y tŷ;
Ystlum ben-i-lawr
Yn taflu cysgod cawr;
Blaidd â'i ddannedd miniog
Yn udo'n oer gynddeiriog;
Llygad bwci bo
Yn llenwi twll y clo;
Bwgan â'i groen yn wyrdd
Yn trampio hyd y ffyrdd;
Gwiddan gam a hyll
Yn hedfan yn y gwyll;
Sgerbwd yn gwenu'n dlws,
Drychiolaeth tu ôl pob drws,
Cannwyll corff ac ellyll,
Penglog lawn o gyllyll,
A rhyw hen Ladi Wen
Ar bob un gamfa bren
Yn codi gwallt fy mhen . . .
Dim ond rhai o'r pethau delaf
Sydd i'w gweld Nos Galan Gaeaf!

*(Adran yr Urdd Aberdaron a'r Rhiw
a Myrddin ap Dafydd)*

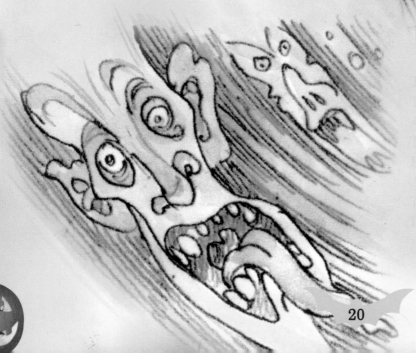

Mae'r meirw

Mae'r meirw'n cerdded heno,
Gochelwch chi'r hen blant,
Mae rhybudd ar y mynydd
A hisian yn y nant.
Daw'r corrach milain allan
A'ch cipio i'r fan draw
Lle mae sgrech yn rhwygo'r awyr –
Dyma deyrnas braw.

Gwyn Morgan

Calan Gaeaf

Mae'r bwci wedi 'nala
Mae'n mynd i gael ei wala
A'i weddill o boenydio blin –
Dwi'n bwdin i'r creulona'.

Gwyn Morgan

21

Coelcerth a Hendre

I'r hen Gymry, roedd Calan Gaeaf yn farc hanner ffordd yn y flwyddyn ar y fferm. Roedd calendr trin y tir yn hollti'n ddau   tymor yr haf o Galan Mai (1 Mai) i Galan Gaeaf a thymor y gaeaf o Galan Gaeaf i Galan Mai.

Yr hen drefn oedd cyflogi gweision fferm am chwe mis ar y tro ac felly roedd Calan Gaeaf yn golygu diwedd cyfnod o waith, cyflog yn cael ei dalu a'r gweision yn chwilio am le newydd mewn ffair gyflogi. Dyma reswm arall pam fod direidi a chwarae triciau yn rhan o ddathliadau'r ŵyl hon   roedd rhyddid gan y gweision ar ôl gwaith caled cynaeafau'r haf a'r hydref a chyfle i fynd dros ben llestri. Un arferiad cyffredin oedd dwyn giatiau ar noson Calan Gaeaf. Byddai sawl hen ffermwr blin yn darganfod bylchau heb giatiau arnyn nhw y bore canlynol a sawl gwas fferm yn chwerthin i fyny'i lawes wrth feddwl am y peth!

Roedd anifeiliaid y fferm yn cael eu symud ar Galan Gaeaf a Chalan Mai hefyd. Os edrychwch ar fap sy'n dangos llawer o enwau ffermydd fe sylwch fod rhai ffermydd yn dwyn yr enw 'Yr Hafod' neu 'Hafod rhywbeth neu'i gilydd' ac eraill yn cynnwys yr enw 'Hendre'.

Yr 'Hendre' fel arfer oedd yr hen ffermydd ar y tiroedd isel ar lawr gwlad. Dyma'r tir sy'n cael y mwyaf o gysgod rhag stormydd y gaeaf ac yma bydd y glaswellt yn dal i dyfu tan ddiwedd yr hydref. Mae'r 'Hafod' ar y llaw arall i fyny yn y bryniau a'r cymoedd uchel yn y mynyddoedd. Mae glaswellt braf yma yn yr haf, ond mae'n dechrau crino wrth ei bod hi'n agosáu at Galan Gaeaf.

Byddai'r hen Gymry'n symud y gwartheg i fyny o'r Hendre i'r Hafod ar Galan Mai, eu bugeilio ar y tir uchel a'u godro drwy'r haf gan anfon y menyn a'r caws i lawr i'r Hendre ac i'r farchnad. Byddai'r caeau wrth yr Hendre'n cael eu defnyddio i dyfu cnydau a byddai'r gwair a'r ŷd yn cael ei gynaeafu a'i storio yn sguboriau'r fferm yn barod at y gaeaf. Yna, pan ddôi'n Galan Gaeaf, byddai'r gwartheg yn cael eu cerdded i lawr o'r Hafod i'r Hendre i'w cadw yn y caeau isel dros y gaeaf. Byddai'r gwartheg godro yn cael eu harwain i'r beudai ac yno y byddent dan do tan yr haf nesaf. Ar Galan Gaeaf, byddai gwaith y fferm yn newid felly a bwydo, neu borthi'r anifeiliaid, fyddai'n cael y sylw mwyaf.

Sut mae hi yn eich dosbarth chi yn yr ysgol o gwmpas yr adeg hon o'r flwyddyn? Oes yna dipyn o besychu, o ddal annwyd a hwnnw'n mynd o un i'r llall? Felly mae hi'n aml ar ôl haf braf a gwyliau hir a threulio llawer o amser yn yr awyr iach.

Mae'r un peth yn wir am y gwartheg. Fel arfer, mae porfa'r mynydd ac awyr y tir uchel yn rhoi sglein ar eu crwyn ond yna, wrth ddod i lawr i'r tir isel i dywydd llaith a niwlog a chael eu hel at ei gilydd i gaeau bychain, byddai perygl i'r gwartheg ddal pob math o afiechydon.

Dyna reswm arall pam fod coelcerth Calan Gaeaf yn cael ei thanio yr adeg yma o'r flwyddyn. Byddai cloddiau'n cael eu tocio, hen dyfiant marw'n cael ei dorri a'i gasglu, hen ddrain, hen redyn ac eithin diwedd tymor yn cael eu codi'n goelcerth a'u llosgi. Byddai'r tân yn glanhau'r cyfan o unrhyw haint ac yn gyfle da am dipyn o sbort a dathlu ar noson Calan Gaeaf hefyd, wrth gwrs.

Ar noson Calan Gaeaf, byddai pob tân yn cael ei ddiffodd ym mhob hendref ac un goelcerth fawr yn cael ei chynnau ym mhob ardal. Yna, byddai colsyn poeth yn cael ei gario o'r goelcerth honno i gynnau tân newydd ar aelwyd pob Hendre. Byddai'r tân hwnnw'n cael ei gadw rhag diffodd drwy'r gaeaf drwy losgi mawn neu goed fyddai wedi'u casglu yn domennydd wrth y tai yn ystod tymor yr haf.

Wrth i goelcerth Calan Gaeaf farw a throi'n bentwr o farwor coch ar y ddaear, byddai'r gwartheg fyddai wedi cael eu symud i lawr o'r Hafod yn cael eu gyrru trwy'r gweddillion poeth. Roedd yr hen Gymry'n credu'n gryf y byddai hynny'n difa pob haint ac yn gymorth i gadw'r fuches yn iach rhag pob afiechyd drwy'r gaeaf.

Tân Glân

Glywi di'r carnau'n nesu
Yn crynu'r holl dyweirch crin?
Glywi di'r galw a'r brefu
A'r gwasgu drwy'r gwrychoedd gwin?

Weli di'r haf ar bob blewyn
Cyn disgyn y dyddiau du?
Y pennau'n cornio'n gryfach
Yn groeniach ac yn gry?

Weli di'r llwch yn cochi,
Yn codi o dan bob carn,
A'r drain a'r eithin tocio
Yn duo fesul darn?

Weli di'r traed yn cyflymu,
Yn tywynnu yn y tân?
A'r haf yn ein gadael mewn ton
O arogleuon glân?

Myrddin ap Dafydd

24

Pytiau Difyr

Tatws coelcerth

Mae bwydydd a danteithion o bob math yn rhan o'n dathliadau Calan Gaeaf ni heddiw – ac roedd y wledd yn bwysig yn yr hen ddyddiau hefyd. Un o'r danteithion traddodiadol oedd tatws trwy'u crwyn – pan fyddai'r goelcerth ar ei hanterth, byddai tatws yn cael eu taflu iddi a'r hwyl ar ôl hynny fyddai ceisio chwilio am daten gyda ffon neu fforch bigog a'i thynnu o'r goelcerth a'i bwyta.

Mwyar budron

A fyddwch chi hel mwyar duon ar ôl Calan Gaeaf? Na fyddwch siŵr! Mae blas sur a diflas iawn arnyn nhw erbyn hynny. Eto, bydd rhywfaint o'r ffrwythau duon ar ôl ar y llwyni drain hyd yn oed ar ddiwedd mis Hydref. Ond yn ôl yr hen goel, roedd y coblynnod drwg a'r tylwyth teg yn poeri ar y mwyar duon ar noson Calan Gaeaf a doedd neb yn cyffwrdd y ffrwythau budron wedi hynny. Rheswm arall dros dorri'r drain a chreu coelcerth . . .

Ffrwythau fel 'falau

Mae'r afal yn ffrwyth pwysig iawn yn hanes y Celtiaid. I Afallon, ynys yr afalau, aeth y Brenin Arthur i wella o'r clwyfau a gafodd ym mrwydr Camlan. Mae'r afal yn gysylltiedig â iechyd, ieuenctid a ffrwythlondeb y ddaear.

Pan gyrhaeddodd mathau o ffrwythau newydd i Gymru byddai'r hen bobl wastad yn eu galw wrth yr enw 'afal' gan fod y gair yn golygu 'ffrwyth' iddyn nhw. Pan ddaeth yr oren yma gyntaf, 'afal oren' roedden nhw'n ei alw, ac 'afal melyn' oedd lemwn. Yr enw am domato oedd 'afal cariad'! Rydyn ni'n dal i ddefnyddio'r enw afal pin neu binafal, ac mae'n ddifyr mai'r enw yn Ffrainc (hen dir y Celtiaid) am datws yw *pommes de terre*, sef 'afalau'r ddaear', ac *avaloù douar* yn Llydaweg.

Carreg lwcus

Camp arall a wnâi pobl ifanc wrth ddathlu a dawnsio o gwmpas coelcerth Calan Gaeaf oedd dewis carreg, ei marcio a'i thaflu i'r tân. Ar ôl i'r tân farw, byddai'r ieuenctid yn mynd i chwilio am eu cerrig y bore dilynol. Os byddech chi'n dod o hyd i'ch carreg, byddai honno'n garreg lwcus i chi am flwyddyn gron.

Afalau Pomona

Flynyddoedd maith yn ôl, pan ddaethon nhw i Gymru, daeth y Rhufeiniaid â 'u harferion efo nhw.

Roedd tymor yr hydref yn dymor arbennig iawn iddynt. Bob blwyddyn, ar 31 Hydref, roedden nhw'n arfer cynnal gŵyl i gofio'u perthnasau oedd wedi marw ac ar yr un pryd, yn anrhydeddu eu duwies coed a ffrwythau   Pomona.

Beth ydi'r ffrwyth mwyaf cyffredin sy'n aeddfedu yn yr hydref? Afal, wrth gwrs! Felly, byddai'r Rhufeiniaid yn cyflwyno afalau a chnau a ffrwythau eraill i'r dduwies Pomona i ddiolch iddi am y cynhaeaf. Rhan bwysig o'r dathliadau oedd mwynhau gwledd fawr, rhedeg ras a chwarae gêmau.

Byth ers y dyddiau hynny, bu afalau'n rhan bwysig iawn o ddathlu Calan Gaeaf ac roedd rhai hyd yn oed yn galw'r wyl yn Noson Afal a Channwyll.

Afalau Taffi

Dyma un o'r bwydydd Calan Gaeaf mwyaf blasus – ac un o'r symlaf i'w baratoi.

PWYSIG Oherwydd fod y taffi'n mynd yn boeth iawn, cofiwch ofyn i oedolyn eich helpu.

Mae angen

- 6 afal wedi eu golchi a'u sychu
- 6 choesyn pren

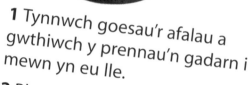

Ar gyfer y taffi

- 75g siwgr brown meddal
- 25g menyn
- 50g triog melyn
- Hanner llond llwy de o sudd lemwn
- 6 llond llwy fwrdd o ddŵr
- sosban a gwaelod trwchus iddi
- llwy bren
- powlenaid o ddŵr oer
- papur saim wedi'i iro

1 Tynnwch goesau'r afalau a gwthiwch y prennau'n gadarn i mewn yn eu lle.

2 Rhowch gynhwysion y taffi i gyd yn y sosban. Cynheswch nhw'n araf gan ddefnyddio llwy bren i'w troi'n gyson nes bydd popeth wedi toddi.

3 Codwch y gwres gan ferwi'r gymysgedd yn gyflym nes bydd llwyaid ohono'n caledu wrthi ei roi mewn dŵr oer.

4 Tynnwch y sosban oddi ar y gwres. Yn ofalus, rhowch bob afal yn y taffi fesul un. Gofalwch fod y taffi'n gorchuddio'r afal i gyd. Yna, trochwch o mewn dŵr oer.

5 Rhowch yr afalau ar bapur saim wedi'i iro nes bydd y taffi wedi caledu.

Gêmau Parti Calan Gaeaf

Gan fod afalau'n aeddfed erbyn yr hydref, maen nhw wedi cael eu defnyddio ar hyd yr amser i gael hwyl ar noson Calan Gaeaf. Dyma ddwy gêm sy'n defnyddio afalau i chi gael sbort:

Twca Afalau

Llenwch ddysgl olchi llestri efo dŵr oer. Rhowch hi ar fwrdd neu ar y llawr ac ychwanegwch ddigon o afalau. Plygwch dros y ddysgl gyda'ch dwylo y tu cefn ichi a cheisiwch godi afal yn eich ceg. Cofiwch gadw lliain wrth law i sychu'ch wyneb! Bydd angen cadach i sychu'r llawr hefyd!

Dacw afal

Dacw afal coch yn arnofio yn y dŵr,
Dyma 'nannedd miniog yn nesu at yr helfa,
Chwim yw'r afal – o'r fath ffwlbri! –
Cael yr afal, yna boddi.

Gwyn Morgan

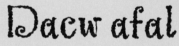

Afalau a chnau

Doedd dim siopau melysion, losin, da-da, fferins i'w cael erstalwm ond eto, roedd plant yr oes honno'n hoffi pethau melys hefyd. Wrth guro drysau tai yn eu mygydau a chario'u lluserni i ofyn am roddion, byddai plant yn cael afalau a chnau a cheiniogau.

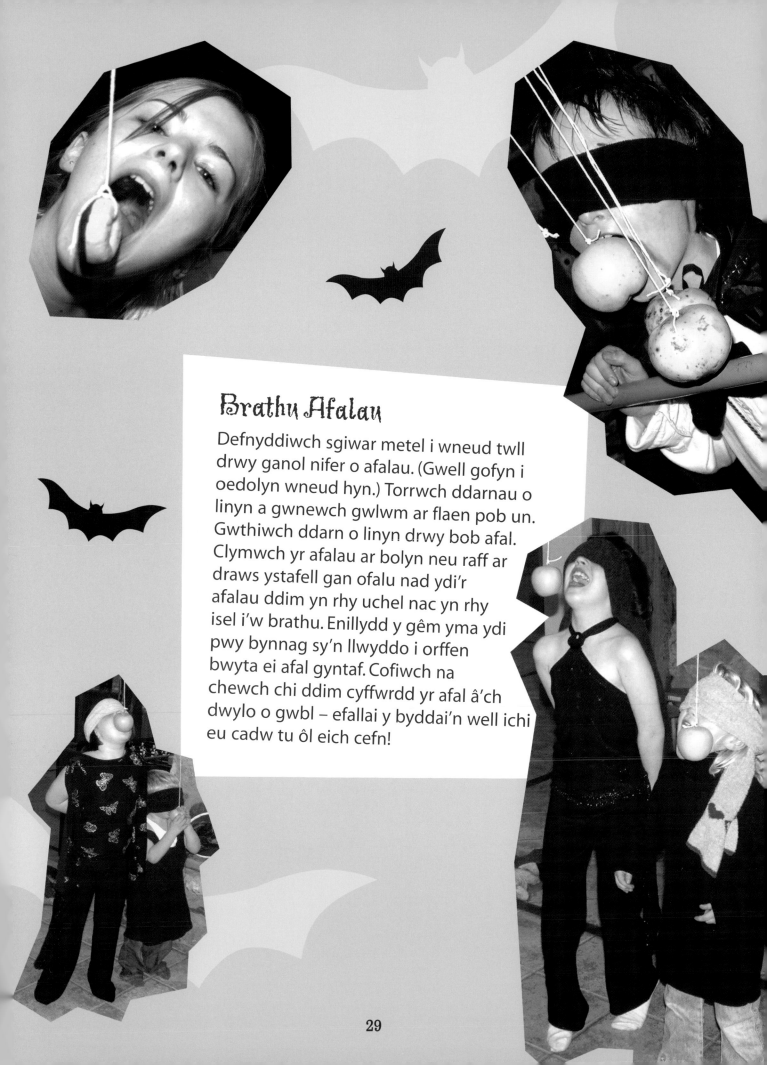

Brathu Afalau

Defnyddiwch sgiwar metel i wneud twll drwy ganol nifer o afalau. (Gwell gofyn i oedolyn wneud hyn.) Torrwch ddarnau o linyn a gwnewch gwlwm ar flaen pob un. Gwthiwch ddarn o linyn drwy bob afal. Clymwch yr afalau ar bolyn neu raff ar draws ystafell gan ofalu nad ydi'r afalau ddim yn rhy uchel nac yn rhy isel i'w brathu. Enillydd y gêm yma ydi pwy bynnag sy'n llwyddo i orffen bwyta ei afal gyntaf. Cofiwch na chewch chi ddim cyffwrdd yr afal â'ch dwylo o gwbl – efallai y byddai'n well ichi eu cadw tu ôl eich cefn!

Cegin y Wrach

Hoffwn fod yn wrach

Hoffwn fod yn wrach
Ar noson Calan Gaeaf,
A throi pob athro yn ei dro
Yn fwydyn bach odanaf.

Siop y gwrachod

Ar y silff mae 'winedd, dannedd,
Bawiach clustiau, bol, llysnafedd,
Baw rhwng bysedd traed a phoeri,
Snotiau gwyrdd a hen fudreddi.

Y cynhwysyn coll

Mae broga, madfall, draenog,
Cynffon porchell chwim,
Ac ochain fwy na dim
Yn ffrwtian yn y crochan;
Mae ambell sgrech a chri
Mae eisiau un peth arall,
O ie   neb llai na ti!

Gwyn Morgan

Llond Pen o Jeli

Mae'r rhain yn wych ar gyfer parti Noson Calan Gaeaf. Defnyddiwch jeli unrhyw liw fynnwch chi (heblaw oren, wrth gwrs! Dydi melyn ddim yn lliw da iawn chwaith.) Mae piws a gwyrdd yn hynod effeithiol. Cofiwch ofyn i oedolyn eich helpu i dorri'r orenau a pharatoi'r jeli.

Mae angen

- ☺ 4 oren
- ☺ paced o jeli
- ☺ cyllell finiog
- ☺ llwy fetel
- ☺ bowlen
- ☺ jwg mesur
- ☺ llwy bren

1 Torrwch y pen oddi ar phob oren â chyllell finiog. Defnyddiwch y llwy i godi'r tu mewn allan yn ofalus. Gewch chi ei fwyta bob tamaid!

2 Torrwch lygaid, trwyn a cheg â'r gyllell.

3 Torrwch ychydig bach oddi ar y gwaelod i'w wneud yn wastad er mwyn iddo sefyll yn well.

4 Gwnewch y jeli efo ychydig bach llai o ddŵr na'r cyfarwyddiadau ar y paced.

5 Rhowch o yn y cwpwrdd oer i galedu.

6 Pan fydd y jeli wedi caledu, stwnsiwch o'n ddarnau mân.

7 Torrwch wynebau sbwci yng nghrwyn yr orenau.

8 Llenwch bob croen oren â'r jeli. Rhowch y pen yn ôl yn ei le.

9 Brysiwch i fwyta un – cyn i bawb arall eu llowcio bob tamaid!

Gwrachod ac Ysgubau

Brwsh llawr neu beiriant sugno llwch fyddwn ni'n ei ddefnyddio i sgubo a glanhau heddiw – ond yn yr hen ddyddiau, ysgub – neu sgubell – o frigau mân wedi'u clymu'n dynn wrth goes bren fyddai wrth y gwaith. Yr enw ar frigau mân iawn yw 'gwiail', ac fel arfer gwiail y goeden fedwen fyddai'n cael eu defnyddio mewn ysgub. Mae'r rheiny'n fân ac yn agos at ei gilydd ac i'r dim i lanhau dail oddi ar lawntiau hyd heddiw.

Ond roedd yr ysgub yn bwysig mewn hen arferion eraill heblaw am lanhau'r tŷ hefyd. Byddai cariadon oedd yn chwilio am gymar yn gadael ysgub mewn lle amlwg y tu allan i ddrws y tŷ erstalwm, ac roedd hynny'n arwydd pendant fod rhywun y tu mewn yn dymuno cael cariad neu ŵr neu wraig. Byddai 'priodas coes ysgub' yn cael ei chynnal yn yr hen Gymru erstalwm, yn arbennig ymysg y Sipsiwn – pe byddai'r pâr yn neidio dros goes ysgub, byddai honno'n cael ei hystyried yn seremoni briodas.

Eto, y darlun mwyaf cyffredin sydd gennym o ysgub yn cael defnydd gwahanol yw hwnnw o wrach mewn het bigfain yn hedfan ar gefn ysgub, gyda chath ddu yn dal yn dynn yng nghoes yr ysgub y tu ôl iddi. Dyma'r math o wrach sy'n crwydro'r byd ar noson Calan Gaeaf ac a fydd yn galw heibio i sawl parti gwisg ffansi.

Beth arall fydd yn dangos mai gwrach yw hi? Clogyn llaes du, debyg iawn – ac efallai drwyn hir, cam gyda phloryn mawr arno. Ac, wrth gwrs, y llais! Bydd llais y wrach bob amser yn hen ac yn clecian a bydd weithiau'n chwerthin yn ddieflig: 'He-he-he-he-he!'

Beth fydd y wrach yn ei wneud? Wel, melltithio pobl sydd wedi pechu yn ei herbyn, wrth gwrs. Bydd yn sefyll wrth grochan anferth ac yn cymysgu cawl afiach o lyffantod a llygaid gwiberod, o flew llygod a phryfaid cop. Yna bydd yn cymysgu'r cyfan gan adrodd rhyw eiriau dieithr sy'n swnio'n faleisus ac wedyn yn chwifio'i ffon hud. Mellten a tharan yn ddiweddarach, bydd anifail rhyw ffermwr yn gloff neu ei dractor wedi cael olwyn fflat; bydd tywysog yn cael ei droi'n froga a bydd yr afonydd i gyd yn wenwynig.

Dyna'r math o ddarlun sydd gennym o wrach erbyn hyn efallai. Mae'r darlun wedi tyfu'n raddol yn gartŵn yn ein pennau. Ond, mewn gwirionedd, mae ymhell o fod yn wir.

Mae'n wir y byddai gwrachod yn cael eu cysylltu â melltithio a rheibio – gwrach ddu oedd honno. Roedd gwrach wen, ar y llaw arall, yn medru bod yn gyfeillgar a chymwynasgar. Mae gwrachod yn enwog am fod â pherthynas agos â'r ddaear ac o ddeall llysiau a dail a chyfrinachau natur. Byddant yn creu meddyginiaeth at wella pob math o afiechyd, a byddai dail a gwreiddiau a phob math o bethau eraill yn hongian ar gyfer eu sychu yn eu tai.

Byddant yn gwneud eli a moddion drwy gymysgu'r pethau rhyfeddaf – ac o hynny y tyfodd y chwedlau am draed cwningod a gwe pry cop.

33

Erlid Gwrachod

Ar wahanol adegau yn ystod hanes, bydd pobl gyffredin yn troi yn erbyn pobl sy'n wahanol ac sy'n byw eu bywydau yn y dirgel. Cafodd gwrachod eu herlid, eu carcharu a hyd yn oed eu lladd a'u llosgi yn yr hen ddyddiau. Ond hen wragedd unig oedd llawer o'r rheiny oedd yn creu meddyginiaeth naturiol.

Erbyn heddiw, rydym unwaith eto yn dechrau gweld lles mewn trin y corff a'i glefydau gyda moddion, diodydd ac olew o ddail a blodau.

Pwy a ŵyr, pe bydden ninnau'n yfed y gymysgedd iawn efallai y bydden ninnau mor ystwyth ac iach nes ein bod yn teimlo fel hedfan drwy'r awyr ar gefn ysgub!

Ysgafn ar yr ysgub

Mae'r dail yn disgyn,
Yr haul yn gwanhau,
Bydd y nos yn ymestyn
A'r gaeaf yn cau;
A dyna pryd awn, y fi a'r gath fach ddu,
Yn ysgafn ar yr ysgub uwchben y tŷ.

Pan fyddan nhw'n syllu
Dros lidiart yr ardd,
Gwelant wraig wedi'i phlygu,
Yn hen ac an-hardd,
A holi maen nhw: sut bod c'radures o'r fath
Yn ysgafn ar yr ysgub gyda'i chath?

Pan ddôn nhw i sbecian
Drwy fy ffenest i,
Gwelant gawl yn ffrwtian:
Pry cop a blew ci:
Ai hwnnw sy'n gwneud y fi a'r gath fach ddu
Yn ysgafn ar yr ysgub uwchben y tŷ?

Pan wylian fi'n crwydro
O lyffant i lwyn,
Yn chwalu a chwilio
Am y llysiau mwyn,
Meddwl maen nhw mai drwy ddiodydd cry'
Dwi'n ysgafn ar yr ysgub uwchben y tŷ.

Ond pan ddaw'r tywyllwch
A'r nosweithiau oer,
Cysgodion tawelwch
A lamp y lloer,
Mor hawdd ydi hedfan, y fi a'r gath fach ddu,
Yn ysgafn ar yr ysgub uwchben y tŷ.

Myrddin ap Dafydd

Oer yw cusan gwrach

Oer yw cusan gwrach,
Oerach ei chyffyrddiad;
Oerach fyth ei gwaed a'i chnawd,
Oerach oll, ei bwriad.

Gwyn Morgan

Dim ysgubellau hirion

Dim ysgubellau hirion,
Dim cathod duon chwaith;
Hed hon yn chwim ar hwfer
I'w chwythu ar ei thaith.

Gwyn Morgan

Ffenestri Ffiaidd

Beth sydd ei angen • Darn mawr o bapur du • Pensel wen
Siswrn neu gyllell grefft • Papur sidan o sawl lliw gwahanol • Tâp gludiog

1 Tynnwch lun o olygfa Calan Gaeaf: castell erchyll; pen pwmpen; penglog; ystlum; cath; ysbryd; gwrach … Cadwch y llun yn syml. Gadewch ymylon llydan o gwmpas y llun a chofiwch fod rhaid i bob siâp gysylltu â siâp arall.

2 Torrwch y cefndir allan yn ofalus. Os byddwch yn defnyddio papur mawr (maint A3 neu fwy) gallwch ddefnyddio siswrn, ond fe fydd y torri allan yn fwy anodd â phapur llai. Efallai mai'r peth hawsaf fyddai gofyn i oedolyn dorri allan â chyllell grefft.

3 Glynwch y papur sidan â thâp gludiog y tu cefn i'ch llun erchyll. Defnyddiwch sawl lliw llachar.

4 Glynwch y llun ar ffenest.

5 Holwch oedolyn a gewch chi osod lamp fwrdd y tu ôl i'r llun er mwyn taflu golau cryf, sbwci drwyddo.

Trowch eich tŷ neu'ch ysgol chi i mewn i Gastell Draciwla neu Ffau Ffrancenstein.

Mae'n hawdd gwneud eich ffenestri'n ddychrynllyd o ffiaidd!

Emily Huws

Bobol Bach!

Cnoc-cnoc-cnoc   curo ar y ffenest.

Cnoc-cnoc-cnoc!

Yn y gadair lle'r eisteddai'n pendwmpian o flaen y tân, trodd Morgan ap Rhys ei ben yn syn. Hen noson oer, ddigon annifyr oedd hi, yn bwrw glaw ac yn chwythu. Pwy ar wyneb y ddaear oedd wedi dod i'w ffermdy unig ar lethrau Cader Idris ar dywydd mor anghynnes?

Gwrandawodd yn astud am eiliad. Chlywodd o ddim byd ond y gwynt yn udo'n iasoer o amgylch talcen y tŷ a'r glaw yn pit pat pitran patran ar y to ac ar wydr y ffenest.

'Breuddwydio oeddwn i, mae'n rhaid,' meddai wrtho'i hun, ond yna, clywodd y sŵn drachefn.

Cnoc-cnoc-cnoc   curo, ar y drws y tro hwn.

Cnoc-cnoc-cnoc !

Oedd! Roedd rhywun yno!

Un clên oedd Morgan; roedd o'n gymwynasgar a chroesawgar iawn. Neidiodd ar ei draed.

'Bobol bach!' galwodd ar ei union. 'Dowch i mewn, wir! Dydi hi ddim yn noson ffit i neb fod allan heno!'

Agorodd y drws a cherddodd tri o deithwyr i mewn. Wel, dyna gymerodd Morgan oedden nhw. Roedden nhw'n edrych fel teithwyr, ond chraffodd o ddim yn fanwl iawn arnyn nhw. Freuddwydiodd o ddim am eiliad mai tri o'r bobol fach, sef y tylwyth teg, oedd wedi dod yno.

Wyddai o ddim y byddai'r tylwyth teg ambell dro yn cymryd arnynt mai pobol gyffredin oedden nhw ac yn crwydro o ardal i ardal gan alw mewn ffermydd a bythynnod i ddarganfod a oedd pobl yn garedig, ac yn hael, yn groesawgar, ac yn gymwynasgar.

'Croeso mawr i chi!' meddai Morgan. 'Closiwch at y tân ar ôl bod allan yn nannedd y tywydd.'

38

'Diolch yn fawr ichi,' meddai'r talaf a'r teneuaf o'r tri. 'Rydan ni'n gwerthfawrogi cael dod i mewn i gysgodi. 'Tybed, os gwelwch chi'n dda, gawn ni hefyd ychydig o fwyd gynnoch chi yn y bag yma sy gen i? Rydan ni ar lwgu.'

'Wrth gwrs!' atebodd Morgan yn syth bìn. 'Arhoswch tra bydda i'n estyn bara a chaws o'r pantri.'

Daeth yn ôl ymhen fawr o dro.

'Dyma chi,' meddai. 'Tair torth wedi eu pobi bore 'ma a chaws wedi ei wneud o laeth gafr. Fydd hyn yn ddigon i chi?'

'Bydd siŵr iawn!' atebodd y byrraf o'r tri. 'Hen ddigon.'

'Croeso i chi iddo fo,' meddai Morgan. 'Fel ag y mae o!'

Rhoddodd y teithwyr y bwyd yn eu bag.

'Rwyt ti'n garedig iawn, Morgan ap Rhys,' meddai'r tawelaf ohonyn nhw. 'Rydan ni'n ddiolchgar iawn. Ac i ddangos gymaint rydan ni'n gwerthfawrogi dy garedigrwydd, hoffen ni roi anrheg i ti am fod mor barod dy gymwynas.'

'Does dim rhaid ichi, siŵr!' protestiodd Morgan. 'Does wybod pryd fydda i'n falch o gymwynas fy hun.'

'Nid teithwyr cyffredin ydan ni,' eglurodd y cyntaf.

'Fe fedrwn ni roi unrhyw ddymuniad fynni di iti,' esboniodd yr ail.

'Beth hoffet ti ei gael?' gofynnodd y trydydd.

'Bobol bach!' meddai Morgan, wedi'i syfrdanu. 'Bobol bach!'

Gwenodd y teithwyr, ond roedd Morgan yn rhy brysur yn meddwl i sylweddoli pam.

'Dymuniad? Unrhyw ddymuniad? Ydach chi o ddifri?'

'Wel ydan, siŵr! Beth wyt ti eisio?'

Meddyliodd Morgan yn ddifrifol am funud.

'Wel . . .' atebodd toc. 'Wel dwi'n hoffi cerddoriaeth ac wedi bod yn dyheu ers blynyddoedd am gael telyn. Os gwelwch chi'n dda, ga i delyn?'

Gwyliodd Morgan y tri'n sibrwd ymhlith ei gilydd.

'Dwi ddim eisio achosi trafferth i chi,' ychwanegodd yn bryderus.

'Dim trafferth o gwbl,' meddai'r tylwyth teg. 'Cei. Fe gei di delyn. Dim ond iti gau dy lygaid a gofalu peidio sbecian nes y clywi di'r drws yn cau tu cefn inni. Iawn?'

'Iawn,' addawodd Morgan yn syn.

Caeodd ei lygaid. Clywodd y drws yn gwichian agor. Teimlodd awel fain ar ei wegil. Clywodd y drws yn cau. Agorodd ei lygaid.

Yno o'i flaen roedd telyn euraid fendigedig. Doedd o ddim yn delynor da iawn, felly cyffyrddodd y tannau'n betrus iawn. Ond telyn ryfeddol y tylwyth teg oedd hon a gallai ganu heb fawr o help gan Morgan.

Ar hynny, pwy ddaeth drwy'r drws wedi bod draw yn gweld eu cymdogion ond gwraig Morgan. Roedd amryw o'u ffrindiau wedi dod yn ôl gyda hi am baned a sgwrs ac wedi dotio pan welson nhw'r delyn.

'Ydach chi eisio 'nghlywed i'n ei chanu hi?' gofynnodd Morgan.

'Ydan, Morgan!' meddai pawb. 'Ydan wir!'

Codai'r miwsig bywiog ysfa i symud ym modiau traed pobl. Bu'n rhaid i bawb godi a dechrau dawnsio'r munud hwnnw. Doedd ganddyn nhw ddim dewis ond dawnsio rownd yr ystafell ar wib wyllt. Gwibiodd dwylo Morgan ar hyd y tannau ac roedd y miwsig yn cyflymu, cyflymu a'r dawnswyr yn dawnsio dawnsio dawnsio nes roedden nhw wedi blino'n ofnadwy. Ond tra oedd y delyn yn canu, fedren nhw yn eu byw beidio dawnsio. Roedd yn rhaid iddyn nhw ddal ati.

39

'Paid, Morgan!' crefodd ei wraig. 'Mae gen i bigyn mawr yn f'ochr.'

Ond wnaeth Morgan ddim byd ond chwerthin.

'Mae'n traed ni'n brifo, Morgan bach!' galwodd rhai o'r cymdogion.

Ond chwarddodd Morgan gan ddal ati i ganu'r delyn.

Yn gynt na'r gwynt, yn wylltach na'r môr ar anterth storm, sgubodd y miwisg ymlaen ac ymlaen a'r dawnswyr yn neidio'n uwch ac yn uwch.

Yna, o'r diwedd, sylweddolodd Morgan fod pawb yn edrych yn wan ac yn welw ac yn flinedig iawn a rhoddodd y gorau i ganu'r delyn. Ond daliodd ati i chwerthin, gan ddigio'r criw. Doedden nhw ddim yn gweld y peth yn ddoniol o gwbl.

Yn fuan iawn, lledodd hanes y delyn ryfeddol drwy'r ardal i gyd. Roedd Morgan wedi gwirioni ar y gerddoriaeth wych. Ond y fo oedd yr unig un oedd ag unrhyw beth i'w ddweud wrth y delyn o gwbl. Roedd pawb arall erbyn hyn yn ei chasáu hi â chas perffaith, oherwydd doedd gan bwy bynnag a glywai'i seiniau hi ddim dewis – roedd yn rhaid iddyn nhw ddawnsio!

Roedd llawer wedi dioddef yn arw. Cysgai rhai am wythnos gron gyfan wedi dawnsio drwy'r nos i delyn Morgan. A doedd Morgan ddim yn boblogaidd o bell, bell ffordd.

Crefodd ei wraig arno i roi'r gorau iddi. Awgrymodd ei ffrindiau'n ddigon caredig iddo beidio canu'r delyn mor aml. Cynigiodd pobl eraill ei fod yn chwilio am lecyn ar ei ben ei hun ymhell o glyw pawb arall. Ond roedd Morgan yn fyddar i bob awgrym. Gwrthododd wrando ar neb. Daliodd ati i ganu'r delyn.

Yna, wedi un noson ddychrynllyd a phawb wedi dioddef yn ofnadwy ar ôl i Morgan ganu'r delyn drwy gydol y nos heb saib o gwbl, diflannodd y delyn. Pan ddeffrodd Morgan yn y bore, doedd dim golwg ohoni.

'Welsoch chi 'nhelyn i yn rhywle?' gofynnodd yn wyllt i'w gymdogion.

Ysgydwodd pawb eu pennau gan ochneidio mewn rhyddhad.

'Wyddon ni ddim byd!' atebodd pawb. 'Welson ni ddim byd. Chlywson ni ddim byd chwaith.'

Ond roedd ei wraig, pan aeth hi allan ben bore i odro'r geifr, wedi cael cip ar dri dieithryn, teithiwyr efallai, yn llercian o amgylch y tŷ. Roedd Morgan wedi camddefnyddio anrheg y tylwyth teg, ac roedd y Bobl Fach wedi penderfynu y dylen nhw fod yn garedig wrth bobl ardal Cader Idris ac felly roedden nhw wedi mynd â'r delyn hud oddi ar Morgan.

Dyna falch oedd ei ffrindiau a'i gymdogion: doedden nhw ddim eisiau gweld telyn byth wedyn. Ond roedd Morgan druan yn torri'i galon.

A thrwy gydol gweddill ei oes, ar bob hen noson oer, ddigon annifyr, pan fyddai hi'n bwrw glaw ac yn chwythu, a'r tywydd yn anghynnes ac yntau yn y tŷ ar ei ben ei hun, byddai'n troi ei ben i glustfeinio, yn gobeithio clywed:

Cnoc-cnoc-cnoc – curo ar y ffenest.

Cnoc-cnoc-cnoc!

Yna, *Cnoc-cnoc-cnoc* – curo ar y drws.

Cnoc-cnoc-cnoc!

Fel yna.

Ac eto.

Ond yr unig bethau a glywodd o byth wedyn oedd y gwynt yn udo'n iasol o amgylch talcen y tŷ a'r glaw yn pit-pat-pitran-patran ar y to a gwydr y ffenest.

Chwilio am Gariad

Erstalwm, byddai merched a dynion ifanc yn edrych ymlaen at Galan Gaeaf er mwyn cael gwybod pwy fydden nhw'n ei briodi.

Roedd llawer yn credu y gallech weld wyneb darpar ŵr neu wraig mewn drych petaech chi'n cribo'ch gwallt ac yn bwyta afal yr un pryd am hanner nos ar noson Calan Gaeaf.

Yn Nyffryn Tywi, y ffordd o wneud hyn oedd drwy blicio afal yn ofalus iawn er mwyn i'r croen i gyd fod yn un darn ar y diwedd (fyddai'r swyn ddim yn gweithio petai'r darn croen yn torri). Wedyn, bydden nhw'n gafael yn y croen afal a'i droelli o amgylch eu pen deirgwaith gan lafarganu:

> *Plicio'r afal ar Galan Gaeaf,*
> *Cofio cadw'r croen yn gyfan,*
> *Groen yr afal, groen yr afal,*
> *Dwed fy ffortiwn ar Galan Gaeaf.*

Yna, fe fydden nhw'n ei ollwng y tu cefn iddynt. Os byddai'n syrthio ar ffurf llythyren, dyna fyddai llythyren gyntaf enw'r sawl fyddent yn ei briodi.

Yn Sir Benfro roedden nhw'n arfer defnyddio rwdan (neu swêj). Ar ôl ei golchi hi'n lân a'i phlicio, byddent yn ei hongian y tu ôl i ddrws y gegin ac yn claddu'r croen yn yr ardd. Byddai'r eneth bliciodd y croen yn siŵr o briodi gŵr o'r un enw â'r dyn nesaf fyddai'n dod i mewn drwy ddrws y gegin.

42

Ffordd arall oedd gwneud cacen gan roi modrwy, gwniadur a darn o arian yn y gymysgedd. Byddai pwy bynnag a gâi'r darn arian yn gyfoethog yn y dyfodol. Byddai'r sawl a gâi'r fodrwy yn priodi cyn bo hir. Ond druan â'r sawl a gâi'r gwniadur fyddai hwnnw neu honno byth yn priodi.

Roedd merched Sir Gaernarfon yn defnyddio malwen:

> Chwilio am falwen
> A'i rhoi o dan bowlen,
> I'r tŷ wedyn – dos
> A'i gadael dros nos.
> Yn y bore wedyn, darllen
> Lwybr arian y llythyren
> Adawyd yno gan y falwen.
> 'O' fydd am Owen,
> 'M' fydd am Morgan,
> 'I' fydd am Ifan
> Dyna sut y bydd morynion
> Yn darllen pwy fydd eu cariadon.
>
> Ond os na fydd llwybr gan y falwen
> Wedi ei gwneud dan y bowlen
> Argoel ddrwg fydd hynny'n wastad,
> Arwydd o farwolaeth cariad.

Roedd swyn hefyd i ddarganfod gwaith y cariad. Torrid wy i ddysglaid o ddŵr gan adael i'r gwynwy syrthio i'r dŵr a chadw'r melyn yn y plisgyn. Byddai'r ffurf a luniai'r gwynwy yn y dŵr yn dangos y math o waith a wnâi'r cariad. Os byddai ar ffurf pinaclau, yna byddai'n rhaid byw mewn tref oherwydd natur y gwaith, ond os suddai'n lympiau, ffermwr fyddai'r cariad.

Roedd y rhif naw yn bwysig mewn swynion caru Calan Gaeaf. Yn Sir Drefaldwyn roedd yn arfer cyffredin i bobl ifanc wneud Stwmp Naw Rhyw (neu Stwmp Naw Math) ar noson Calan Gaeaf, sef potes oedd yn gymysgedd o datws, moron, erfin, pys, pannas, cennin, pupur, halen a llaeth. Yn y stwmp cuddid modrwy briodas a'r sawl a gâi'r fodrwy hon yn ei blataid fyddai'n priodi.

Roedd hi hefyd yn arferiad i gerdded o amgylch yr eglwys naw gwaith gan ddisgwyl gweld eich cariad yn cerdded i'ch cyfarfod ar y nawfed tro.

Yng Ngheredigion cerddai carwr ifanc o gwmpas ei gartref naw gwaith gan gario maneg yn ei law a gofyn, 'Dyma faneg, ble mae llaw?' Yna byddai'i gariad yn ymddangos gan roi ei law yn y faneg.

Dro arall cariai'r carwr esgid gan ofyn 'Dyma esgid, ble mae troed?'

Dull arall yn Sir Gaernarfon oedd taflu pelen o edafedd allan drwy'r ffenest a disgwyl i'r cariad ddod i'w ddal gan ddweud,

> *Fi sy'n lluchio,*
> *Pwy bynnag sy'n dal*
> *Dowch yma!*

Byddai cariadon eraill yn hau hadau – cennin, er enghraifft – yn yr ardd ac yna'n galw:

> *Y sawl sydd am gyd-fyw*
> *Dowch i gyd-gribinio.*

Byddai eraill yn taflu hadau cywarch dros eu hysgwydd a galw,

> *Hadau cywarch wyf i'n eu hau,*
> *Y sawl a'm cara doed i'w crynhoi.*

Mae gen i sgubell newydd

Mae gen i sgubell newydd,
Mae ganddi bedwar gêr,
A chath ymhlith y dduaf
Wrth hedfan 'gylch y sêr.
Fy sgrech sy'n fraw i'r dewra,
A'm gwaedd yn fferu'r gwaed,
A chyffro'r gwynt i'w glywed
A'r meirw'n siffrwd traed.

Mae hi'n Galan Gaeaf eto

Mae hi'n Galan Gaeaf eto,
Mae'r tŷ yn ddistaw iawn,
Dim gwich na gwach yn unman
A hitha'n hwyr brynhawn.
Dwi'n sbio dan y gwely –
Ble mae fy annwyl frawd?
Rhy hwyr! Ma'i dric 'di gweithio
A'm pen yn llawn o flawd!

Dwi ar fy mhen fy hun

Dwi ar fy mhen fy hun
A hithau'n Galan Gaeaf;
Does arna i ddim ofn
Pwy ddaw ar fy ngwartha.
Mae'r golau'n ffrydio – hunlla!
Pa sŵn? Helô. Sut mae?
Dw innau'n mynd o fan'ma!

Gwyn Morgan

Ladi Ddu Caerdydd

Ym Morgannwg, mae ysbrydion merched yn cael eu galw'n 'Ladi' ac fel arfer maen nhw'n cael eu disgrifio wrth eu lliw. Mae sawl 'Ladi Wen' yn yr ardal. Rhwng Melingruffydd a Thongwynlais mae ffynnon o'r enw 'Ffynnon y Ladi Wen', gan fod ysbryd gwraig mewn dillad gwynion i'w gweld yno.

Arferai 'Ladi Lwyd' gerdded drwy ganol Caerdydd ar un cyfnod. Byddai'n gwisgo clogyn llwyd ac roedd i'w gweld yn mynd i lawr Stryd y Frenhines, yn croesi'r bont dros afon Taf, yn codi'i llaw ar rywun ac yna'n diflannu.

Ond o gwmpas yr harbwr yr oedd y Ladi Ddu i'w gweld. Pentref bychan oedd Caerdydd bryd hynny. Roedd y Ladi Ddu yn crwydro'r cei, gan fynd yn ôl a blaen a throi ffordd yma ac yna'r ffordd acw fel petai'n chwilio am rywbeth.

Gwelodd llawer o forwyr y Ladi Ddu, ond nid oedd yr un ohonynt yn ddigon dewr i fynd ati i ofyn iddi beth oedd yn ei phoeni. Weithiau, byddai'n estyn ei dwylo allan atynt ac yna'n mynd at y cychod ar lan y dŵr, ond yn diflannu wedyn pan na fyddai neb yn fodlon ei dilyn.

Un noson, mentrodd un capten llong fynd yn nes ati.

'A alla i fod o gymorth ichi?' cynigiodd y capten i'r Ladi Ddu. Gan ei fod ef wedi cyfarch yr ysbryd yn gyntaf, roedd hithau'n medru ei ateb yn ôl.

'Ewch â fi at aber afon Elái,' meddai'r Ladi Ddu. 'Os ydych chi'n ddigon dewr i fy helpu i, fe gewch eich gwobrwyo'n hael.'

46

Cytunodd y capten i fynd â hi ac aeth i mewn i'w gwch rhwyfo. Daeth y Ladi Ddu i mewn ar ei ôl ac eistedd yng nghefn y cwch. Dechreuodd y capten rwyfo i ddŵr dwfn yr afon ac wrth wneud llwybr i'r cwch drwy'r cerrynt, teimlai'r rhwyfau'n mynd yn anoddach, anoddach i'w tynnu. Roedd fel petai llwyth y cwch yn mynd yn drymach, drymach bob eiliad.

Erbyn hyn, roedd y cwch rhwyfo yn isel iawn yn y dŵr ac ymhell o'r lan. Dechreuodd y capten ofni y byddai'r cwch yn suddo o dan y fath bwysau. Roedd ar fin dweud hynny pan dorrodd y Ladi Ddu ar draws ei feddyliau.

'Dyna ni. Rydyn ni wedi dod yn ddigon pell. Ewch am y dorlan nawr.'

Rhwyfodd y capten tua'r tir yn ddiolchgar a llusgo'r cwch i fyny ar y graean a'r tywod. Roedd y Ladi Ddu eisoes yn dechrau cerdded drwy goedwig oedd yn tyfu ar lan yr aber. Dilynodd y capten hi ac wedi cerdded cryn bellter drwy'r coed, daethant at garreg anferth.

'Rwy am ichi godi'r garreg hon,' meddai'r Ladi Ddu.

Ond roedd y garreg yn drwm ofnadwy a dechreuodd y capten boeni na fyddai'n ddigon cryf i'w chodi. Daeth nerth o rywle ac ar ôl llawer o duchan a chwysu, llwyddodd y capten yn y diwedd i godi'r garreg drom a'i rowlio o'r neilltu. Ond O, y fath olygfa oedd yn ei wynebu! Mewn twll yn y ddaear o dan wely'r garreg roedd llestr llawn aur.

'Rwy wedi bod yn ceisio cyrraedd y trysor hwn ers tro byd,' meddai'r Ladi Ddu. 'Tan heno, nid oes neb wedi bod yn ddigon dewr i'm helpu. Ac yn wobr am eich cymorth chi, Capten, chi fydd piau'r aur o hyn ymlaen.'

Diflannodd y Ladi Ddu. Edrychodd y capten ar y llestr llawn aur yn syn. Yn raddol, gwawriodd arno na fyddai byth yn brin o bres am weddill ei ddyddiau. Yn fwy na hynny, roedd ef a'i deulu'n gyfoethog iawn, iawn! Rhoddodd ddyrnaid o'r aur yn ei boced a rowlio'r garreg yn ôl dros y llestr.

Sawl tro ar ôl hynny, rhwyfodd yn ôl at aber afon Elái a chodi'r garreg yn y goedwig. Defnyddiodd yr aur yn ddoeth i brynu llong iddo'i hun a chyflogodd gapten a chriw i'w hwylio fel na fu'n rhaid iddo adael ei deulu mor aml ar ôl hynny. Prynodd dŷ moethus yng Nghaerdydd a daeth yn ddyn cyfoethog iawn.

Ychydig cyn iddo farw, datgelodd ei gyfrinach wrth ei blant   cyfrinach trysor y Ladi Ddu. A thrwyddyn nhw y cefais innau'r stori.

Bwyd Bwganod

Bob noson Calan Gaeaf mae'r gwrachod yn cael parti ac yno yn y parti, mae'r bwyd yn gwbl afiach!

Tynnwch goes eich ffrindiau i gyd drwy wneud iddyn nhw feddwl fod y bwyd yn eich parti chi yn gyfoglyd ac ysglyfaethus!

Mae'r ryseitiau hyn i gyd yn swnio'n ddychrynllyd ac yn edrych yn ofnadwy ac yn afiach iawn. Ond peidiwch â chael eich twyllo. Maen nhw i gyd yn flasus eithriadol! Os ydych chi am roi cynnig arnyn nhw, gofalwch fod rhywun mewn oed ar gael i'ch helpu. **Peidiwch â defnyddio stôf ar eich pen eich hun.**

Brechdanau Brawychus

Defnyddiwch:

- Rholiau bara
- Ffa hir gwyrdd neu goes nionod i wneud coesau
- Darnau o foron, ciwcymbyr, tomatos, grawnwin neu radis yn llygaid
- Rhes o gorn melys yn ddannedd
- Darn o ham/salami yn hongian allan fel tafod
- Defnyddiwch eich dychymyg …

Pizzas Peryglus

Rhowch wynebau (hyll wrth gwrs!) ar y pizza gan ddefnyddio llysiau.

Cacennau Cythreulig

Ar gyfer 20 o gacennau mae angen

- 125 g menyn neu fargarîn meddal
- 125 g siwgr mân gwyn
- 125 g blawd codi
- llond llwy de o bowdr codi
- 2 wy mawr
- llond llwy de o flas fanila
- bowlen
- llwyau pren a metel
- 20 câs papur cacennau bychain
- tun cacennau bach

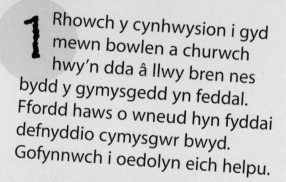

I addurno

- 100 g siwgr eisin
- llond llwy fwrdd o ddŵr (neu sudd oren neu lemwn)
- darnau o licris
- hanneri ceirios
- tiwbiau o eisin sgrifennu
- fferins jeli neu unrhyw rai mewn siapiau diddorol.

1 Rhowch y cynhwysion i gyd mewn bowlen a churwch hwy'n dda â llwy bren nes bydd y gymysgedd yn feddal. Ffordd haws o wneud hyn fyddai defnyddio cymysgwr bwyd. Gofynnwch i oedolyn eich helpu.

2 Rhannwch y gymysgedd rhwng pob câs papur (tua llond llwy de ym mhob un).

3 Coginiwch am tua 18–20 munud yn y popty (gwres 190°C/375°F Marc Nwy 5). Gadewch iddyn nhw oeri'n llwyr cyn dechrau'u haddurno. Medrwch wneud peli llygaid, pryfed cop mewn gwe a fflyd o bethau ffiaidd eraill.

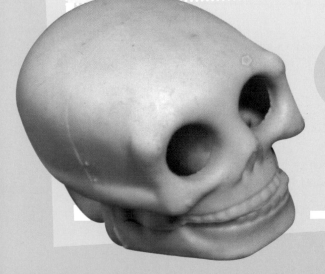

49

Siân Lewis

Eilian a'r Eli Hudol

Noson gynta'r gwanwyn oedd hi a'r lleuad lawn yn disgleirio ar gaeau fferm Garth Dorwen. Yn y cae ger y tŷ eisteddai geneth dlos a'i gwallt melyn yn dawnsio yng ngolau'r lleuad. Enw'r eneth oedd Eilian. Hi oedd morwyn Garth Dorwen ac roedd hi'n brysur yn nyddu wrth ei throell.

Yng nghegin y ffermdy swatiai Abel a Mali Prydderch o flaen y tân yn fodlon iawn eu byd.

'Ew, Abel,' meddai Mali wrth ei gŵr. 'Dyna lwcus ydan ni i gael morwyn fel Eilian.'

'Lwcus dros ben,' cytunodd Abel. 'Y peth gorau wnaethon ni erioed oedd ei chyflogi hi yn y Ffair Galan Gaea.'

Doedd dim morwyn debyg i Eilian. Roedd hi'n gweithio'n galed yn y tŷ o fore gwyn tan nos ac ar ôl swper byddai'n mynd allan i'r cae i nyddu dan olau'r lleuad.

'Mae'n ddeg o'r gloch, wsti,' meddai Mali. 'Mi wna i alw arni rŵan. Mae'n bryd i'r eneth ddod i'r tŷ.'

Nodiodd Abel yn ddoeth a gwylio'i wraig yn agor y drws cefn.

'Eilian!' galwodd Mali. 'Eilian!'

Dim ateb.

'Eilian!' galwodd Mali eto.

Dim ateb.

Mewn chwinc roedd Abel wedi codi ar ei draed ac yn rhedeg at y cae gyda'i wraig yn ei ganlyn. Wrth y giât safodd y ddau'n stond a'u hwynebau fel y galchen.

Roedd y droell yn gorwedd ar y glaswellt a'i holwyn yn dal i droi. Ond ble oedd Eilian? Doedd dim sôn amdani. Roedd y forwyn wedi diflannu.

Am fisoedd maith bu Abel a Mali'n chwilio am Eilian ac yn holi'u cymdogion, ond doedd neb yn gwybod dim o hanes y forwyn. Ac yna, un noson dywyll, daeth cnoc ar ddrws ffermdy Garth Dorwen. Cododd Mali'r gliced a syllu'n betrusgar i'r iard.

'Ai ti yw Mali Prydderch?' gofynnodd llais o'r cysgodion.

'Ie.'

Brysiodd Abel at ei wraig â llusern yn ei law. Dan olau'r llusern gallent weld ceffyl du hardd gyda marchog crand mewn dillad duon yn eistedd ar ei gefn.

'Mae fy ngwraig ar fin cael babi,' meddai'r gŵr wrth Mali. 'Ddôi di i'w helpu os gweli di'n dda?'

'Gwnaf siŵr,' meddai Mali gan afael yn ei chlogyn. Roedd hi wedi hen arfer â helpu gwragedd i roi genedigaeth.

Estynnodd y gŵr bonheddig ei fraich, ei chodi ar gefn y ceffyl du ac i ffwrdd â nhw ar eu hunion.

Wedi iddi gael ei gwynt yn ôl sbeciodd Mali dros ysgwydd y dieithryn. Er syndod iddi roedden nhw'n croesi'r rhostir unig tuag at fryn o'r enw Bryn y Pibion.

Synnodd Mali'n fwy fyth pan garlamodd y ceffyl i mewn i ogof fawr yn ochr y bryn. Ym mhen draw'r ogof disgleiriai golau llachar. Ffrydiai'r golau o ffenestri palas enfawr wedi'i addurno ag aur ac arian.

Arafodd y ceffyl o flaen y drws agored, neidiodd y gŵr bonheddig i'r llawr a chodi Mali o'r cyfrwy. Amneidiodd arni i'w ddilyn i stafell foethus. Yno, o flaen tanllwyth o dân, gorweddai gwraig ifanc ar wely sidan.

'Galwa fi pan fydd y babi wedi'i eni,' meddai'r gŵr gan droi ar ei sawdl a gadael y stafell.

'Mi wna i,' addawodd Mali.

Hanner awr yn ddiweddarach roedd Mali'n lapio'r babi newydd anedig mewn gwisg o les drudfawr. Galwodd ar y tad a daeth yntau yn ei ôl a gwasgu pot o eli i'w llaw.

'Dwi am i ti wneud un gymwynas arall â fi,' meddai. 'Taena'r eli hwn dros lygaid y babi, ond cofia, paid â gadael i'r eli gyffwrdd â'th lygaid di. Wedi i ti orffen, fe a' i â thi adre ac fe gei di lond pwrs o aur am dy waith.'

Aeth y tad i ffwrdd ac eisteddodd Mali wrth y tân gyda'r babi ar ei glin. Yn ofalus iawn trochodd ei bys yn yr eli a'i daenu dros lygad de'r bychan. Taenodd haenen arall dros ei lygad chwith. Ond yna, dyma wreichionyn o'r tân yn glanio ar foch Mali ac wrth iddi godi ei llaw i'w sgubo i ffwrdd, aeth yr eli oedd ar ei bys i mewn i'w llygad.

Yn syth bìn tywyllodd y stafell.

Diffoddodd y fflamau yn y grât.

Diflannodd y palas hardd.

Ar lin Mali swatiai babi bach carpiog, tra gorweddai ei fam ar wely o wellt ar lawr ogof oer gyda golau un gannwyll egwan yn disgleirio ar ei gwallt melyn.

Rŵan roedd Mali'n nabod y gwallt melyn.

'Eilian!' gwaeddodd. 'Ti sy 'na!'

'Meistres!' Cododd Eilian ar ei heistedd mewn dychryn.

'Beth wyt ti'n wneud fan hyn, Eilian fach?' llefodd Mali gan ruthro tuag ati.

'Y tylwyth teg wnaeth fy nghipio,' meddai'r forwyn.

'Wel, tyrd adre efo fi!' meddai Mali.

'Fedra i ddim mynd adre,' meddai Eilian gan gymryd y babi i'w breichiau. 'A chewch chi ddim mynd adre chwaith, os daw fy ngŵr i wybod eich bod wedi fy nabod i. Sh!' Roedd swn traed yn nesáu. Pwysodd Eilian tuag at Mali a sibrwd yn daer yn ei chlust. 'Peidiwch â dweud gair, meistres fach. Peidiwch, da chi, neu welwch chi mo Mr Prydderch byth eto!'

Daeth cysgod du ei gŵr i'r golwg yng ngheg yr ogof.

'Barod?' meddai wrth Mali.

Chwarter awr yn ddiweddarach safai Mali'n ddiogel yng nghegin Garth Dorwen â llond pwrs o aur yn ei llaw.

Gyda'r aur aeth Abel a Mali i'r Ffair Galan Gaeaf yng Nghaernarfon i gyflogi morwyn arall.

Ar ôl taro bargen â merch fochgoch, siriol, fe wahanodd y ddau a mynd i grwydro o gwmpas y ffair.

Edrych ar y stondin lestri oedd Mali, pan welodd hi ddyn yn dwyn o'r stondin nesa. Roedd o'n gafael mewn tlysau o dan drwyn y stondinwr ac yn eu stwffio i boced ei gôt ddu.

'Wel, am ddyn dig'wilydd!' meddai Mali, a brasgamodd tuag ato gan feddwl gweiddi: 'Hei! Stop!'

Ond ddaeth dim gair o'i cheg. Roedd y dyn wedi troi i'w hwynebu a phwy oedd o ond gŵr Eilian.

'H . . . helô!' crawciodd Mali mewn panig. 'Sut mae Eilian a'r babi?'

Lledodd gwên galed dros wyneb y dyn.

'Felly rwyt ti'n medru 'ngweld i wyt ti, Mali Prydderch?' sibrydodd. 'Wyt ti'n fy ngweld i â'th ddau lygad?'

Caeodd Mali un llygad ar ôl y llall.

'Na, dim ond â hwn,' meddai Mali gan bwyntio at y llygad lle rhwbiwyd yr eli.

Ar unwaith chwythodd y dyn i'r llygad hwnnw a'i ddallu.

Welodd Mali Prydderch mo'r tylwyth teg byth wedyn.

Diodydd Dieflig

Slotian a slochian: llymeitian mewn steil

Cegaid gyfoglyd! Llymaid lloerig! Chwenc chwydlyd!
Ar yr olwg gyntaf, maen nhw i gyd yma. Ond rhaid blasu i brofi.
A siom ar yr ochr orau fydd y diodydd yma – diolch byth!

Bydd angen

- Gwydrau yfed tal
  Gwellt yfed
- Bag a rholbren
  i falu'r rhew
- Addurniadau plastig
- Ciwbiau rhew
  wedi'u lliwio
- Sudd oren, tomato,
  llugaeron (*cranberry*)
- *Twiglets*
- Hufen iâ
- Lemonêd
- Diod cola
- Botymau siocled
  wedi'u rhewi
- Malws melys
  (*marshmallows*)

Sut i wneud a malu rhew

Defnyddiwch ychydig ddiferion o liw bwyd gwyrdd mewn llond jwg o ddŵr, ei dywallt i focs plastig gwneud ciwbiau a'i roi yn y gist rew dros nos. Gellwch roi rhai o'r ciwbiau mewn bag plastig, cau'r top a'i ddyrnu'n galed â rholbren.

1 Yfed Esgyrn a Gwaed

Rhowch y sudd tomato mewn gwydr a'r Twiglets a'r malws melys yng ngheg y gwydr. Yfwch yn sydyn cyn i'r Twiglets droi'n soeglyd!

2 Enfys Erchyll

Malwch giwbiau o rew plaen, rhew gwyrdd, rhew sudd oren a llugaeron ar wahân. Rhowch un haenen ar ben y llall mewn gwydr.

3 Ffrwydro Ffyrnig

Rhowch lwmpyn o hufen iâ i mewn i wydraid o gola a neidiwch o'r ffordd!

4 Gwyrdd Gwyllt

Taflwch giwbiau rhew gwyrdd i lemonêd a gwylio'r gwyrdd yn chwyrlïo!

5 Dawns y Botymau

Gollyngwch y botymau siocled wedi'u rhewi i'r lemonêd a gwyliwch nhw'n dawnsio.

Storïau Sgrechlyd

Y Trên Sgrech

Does dim byd tebyg i stori iasoer mewn parti. Cyn y noson fawr, ceisiwch feddwl am stori arswyd dda i ddychryn eich ffrindiau. Sgrifennwch hi ar bapur a chasglwch bethau iddyn nhw eu clywed a'u teimlo tra byddwch yn adrodd y stori. Cofiwch ymarfer er mwyn ei gwneud hi'n wirioneddol arswydus! Yna, ar y noson, gofynnwch i rywun eistedd ar gadair a rhoi mwgwd dros ei lygaid. Ewch ati i adrodd stori debyg i hon:

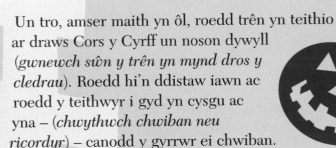

Un tro, amser maith yn ôl, roedd trên yn teithio ar draws Cors y Cyrff un noson dywyll (*gwnewch sŵn y trên yn mynd dros y cledrau*). Roedd hi'n ddistaw iawn ac roedd y teithwyr i gyd yn cysgu ac yna – (*chwythwch chwiban neu ricordyr*) – canodd y gyrrwr ei chwiban. Roedd rhywbeth mawr yn sefyll ar y trac. Ci anferthol, oedd yn fwy na tharw. Gwrthododd symud. Doedd y gyrrwr ddim yn gallu stopio (*crash uchel – gollwng llwyau i mewn i dun bisgedi gwag*). Fe darodd y trên i mewn i'r bwystfil ac fe blymiodd pawb i mewn i'r gors a diflannu dan y mwd! Doedd dim gobaith i neb ddianc.

Un noson Calan Gaeaf dyma hen wrach yn dechrau chwilio a chwalu yn y gors gan ddod o hyd i bethau gwych. "He he he!" chwarddodd. "Dyma'r union beth i [*enw'r person sydd yn y gadair*]! Dal dy law allan!"

Dyma glust yr anghenfil (*bricyllen neu eirinen wlanog wlyb allan o dun*).

Dyma'i lygaid mawr (*grawnwin*).

Dyma'i dafod hir (*banana*).

Dyma'i gynffon hir (*darnau o wlân gwlyb*) . . .

Unwaith y dechreuwch feddwl, mae'n siŵr y cewch lawer o syniadau erchyll!

Drama Draciwla a'i Ffrindiau

I gael hwyl ar noson Calan Gaeaf beth am wneud *drama-a-a-a-a*! ddychrynllyd!? Mae'r pethau y gallwch chi eu gweld a'u clywed yn bwysig iawn mewn drama. Felly bydd angen mynd ati i gasglu pethau arswydus – clogyn, ystlum, pry copyn mawr, het gwrach. Cofiwch ymarfer. I greu'r awyrgylch iawn ar y noson, agorwch ddrws a gosod cynfas wen ar draws y bwlch. Gofalwch fod golau'n sgleinio y tu cefn iddi. Adroddwch stori gan hongian neu osod siapiau i greu cysgodion erchyll y tu cefn i'r sgrin yma, a chofiwch ddefnyddio digon o synau brawychus.

Un noson olau leuad roedd bachgen yn cerdded heibio i'r hen eglwys. Clywodd sŵn dail yn siffrwd yn y goeden uwch ei ben (*symudwch eich dwylo mewn bag plastig swnllyd*). Glaniodd dyn mawr mewn clogyn du wrth ei ochr. "Rhaid i Draciwla gael gwaed bachgen i swper!" gwaeddodd.

Dyma'r bachgen yn rhedeg am ei fywyd i'r fynwent . . .

Chwarae Triciau

Mae'n rhaid cael hwyl a sbri mewn parti ac mae gêmau da yn rhan o'r hwyl. Cofiwch roi gwobrau i bawb sy'n fodlon chwarae – dim ond y dewraf fydd am wneud!

Yn Syth i'r Slwtsh

Mewn bwced, cymysgwch flawd mewn dŵr i wneud slwtsh. Y syniad ydi na fyddwch chi ddim yn gallu gweld drwyddo. Rhowch bob math o bethau bychain yn y slwtsh. Tybed fydd eich ffrindiau yn meiddio rhoi eu dwylo i mewn i'w codi allan?

Dwylo Dewr

Bydd eu hangen i chwarae'r gêm hyll hon!

Y syniad ydi i bawb roi eu dwylo mewn bocsys yn llawn pethau annifyr na fedran nhw'u gweld. YCH A FI!

Torrwch dwll digon mawr i roi'ch llaw drwyddo i mewn i'r bocs. Rhowch blât neu bowlen ar y gwaelod a rhywbeth afiach arno . . . sbageti gwlyb fel pryfed genwair, neu rawnwin fel llygaid.

Os torrwch chi un ochr i'r bocs i ffwrdd fe allwch weld fod y person wir yr yn rhoi ei law i mewn!

Myrddin ap Dafydd

Trafferth Mewn Tafarn

Mae hen dafarn ddiddorol i'w gweld ym mhentref Cwm ger arfordir sir y Fflint yng
ngogledd-ddwyrain Cymru. Ei henw yw'r Llew Glas a phedwar can mlynedd yn ôl, roedd
y dafarn yn rhan o adeiladau ffermdy.

Bryd hynny, roedd gŵr o'r enw Siôn Harri ynghyd â'i dad a'i frawd yn rhedeg y dafarn a'r
fferm. Ond aeth yn ffrae rhwng Siôn a'r ddau arall, ac aeth y ffrae yn ymladd a'r diwedd fu
i Siôn druan gael ei ladd.

Wyddai neb arall yn yr ardal fod dim byd o'i le. Drannoeth, lledodd y tad a'r mab stori
drwy'r ardal fod Siôn Harri wedi penderfynu ymfudo i America yn sydyn a'i fod wedi gadael
yn hollol ddirybudd. Llyncwyd y stori gan bawb, ond yna codwyd amheuaeth yn yr ardal pan
ddechreuodd rhai o gwsmeriaid y dafarn weld ysbryd Siôn Harri yn crwydro'r stafelloedd.

Mae mynwent y pentref yn union y tu ôl i dafarn y Llew Glas a rhyw ddau can mlynedd
yn ddiweddarach, aeth rhai o'r pentrefwyr ati i'w thacluso. Codwyd cerrig oedd wedi
disgyn a chliriwyd peth o'r hen bridd. Wrth wneud hynny, daeth y gweithwyr ar draws
sgerbwd oedd wedi'i gladdu ar ben arch. Roedd yn arwydd pendant o gladdu ar frys o dan

56

amgylchiadau amheus. Cysylltwyd y darganfyddiad â stori ysbryd Siôn Harri ar unwaith, yn enwedig gan fod ysbryd yn dal i grwydro drwy'r dafarn.

Er bod y corff wedi'i ddarganfod, aros wnaeth yr ysbryd – gellid ei glywed yn rheolaidd yn cerdded ar hyd y coridorau a phan fyddai rhywun yn mynd i edrych, doedd neb yno. Ar adegau eraill, byddai gwraig y tafarnwr yn ei weld yn rheolaidd – byddai'n sefyll yn ei gwylio am ychydig ac yna'n gwyro'i ben fel pe bai'n plygu i fynd o dan drawst isel oedd yn rhan o borth drws oedd yn arfer bod yno ar un adeg.

Byddai ysbryd Siôn yn gadael ei ôl mewn amryw o ffyrdd eraill hefyd. Yn 1969, roedd gan y tafarnwr sw fechan y tu ôl i'r dafarn, yn cynnwys mwnci, sawl neidr ac aligetor. Un bore, roedd pob cawell wedi'i hagor a'r anifeiliaid yn rhydd ar hyd y lle! Llwyddodd i'w dal a'u diogelu eto, ond digwyddodd yr un peth y noson ganlynol.

Dechreuodd amau mai ymgyrchwyr rhyddid i anifeiliaid oedd wrthi, felly taenodd y tafarnwr dywod ar hyd y llawr i geisio cael olion traed y troseddwyr. Dihangodd yr anifeiliaid y drydedd noson hefyd – ond nid oedd ôl traed dynol i'w gweld yn y tywod o gwbl. Digwyddodd hyn bum gwaith i gyd, er bod cloeon a chadwyni cadarn wedi'u clymu am bob dôr.

Mae pethau rhyfedd yn dal i ddigwydd yno – pethau'n disgyn oddi ar waliau yn ddirybudd – yn arbennig os mai pethau o fetel ydyn nhw, fel brasys ceffylau. Mae un ystafell oer, oer yn y dafarn – hyd yn oed yng nghanol yr haf – ac ni fydd ci'r dafarn byth yn mentro i'r stafell honno.

Un peth sy'n hollol siŵr, medd pobl yr ardal – os aeth Siôn Harri i'r America, wnaeth o ddim mynd â'i ysbryd gydag o!

Cacen Draciwla!

Beth i'w wneud

1. Cynheswch y popty i 190°C/375°F/Nwy 5.
2. Cymysgwch y menyn a'r siwgwr â'r llwy bren.
3. Curwch wy yn y cymysgedd, gan ychwanegu mymryn o flawd.
4. Plygwch weddill y blawd i mewn gan ddefnyddio llwy fetel.
5. Rhannwch y cymysgedd yn ddau, gan adael un yn blaen ac ychwanegu'r powdwr siocled i'r llall.
6. Rhowch lwyaid am yn ail o'r ddau gymysgedd i mewn i'r tun cacen.
7. I greu'r effaith brith, trowch y gyllell yn ysgafn o amgylch y tun.
8. Pobwch am tua 25 munud nes fod y top yn edrych fel sbwnj.
9. Rholiwch yr eisin.
10. Tynnwch y gacen o'r popty a'i gadael i oeri ar y rac.
11. Torrwch y gacen yn ei hanner gan dynnu tri darn hanner cylch o ochrau syth y ddau ddarn.
13. Siapiwch ben ystlum o'r eisin caled a'i osod rhwng yr adenydd.
14. Taenwch yr eisin hylifol du dros y cyfan a defnyddio'r licris i greu llinellau ar yr adenydd.

Bydd angen
- Powlen gymysgu
- Llwy bren
- Tun cacen crwn 20 cm/8 modfedd
- Cyllell
- Rac oeri

Cynhwysion
- 175 g menyn/margarîn
- 175 g siwgwr
- 3 wy
- 175 g blawd codi
- 2 lond llwy fwrdd o bowdwr siocled
- Eisin rowlio du
- Eisin hylifol du
- Licris

Bwgan Gwyrdd o'r Gofod

Bydd angen
- Powlen bwdin
- Llwy bren
- Cyllell
- Rac oeri

Cynhwysion
- 125g margarîn meddal
- 125g siwgwr caster
- 2 wy
- 125g blawd codi
- 100g eisin gwyrdd *glacé*
- Licris a fferins

Beth i'w wneud

1 Cynheswch y popty i 190°C/375 F/Nwy 5
2 Irwch y bowlen yn dda.
3 Cymysgwch y margarîn a'r sigwr â'r llwy.
4 Ychwanegwch yr wyau wedi'u curo'n barod.
5 Plygwch y blawd i mewn.
6 Pobwch am tua 20 munud nes fod y top yn edrych fel sbwnj.
7 Tynnwch y gacen o'r popty a'i gadael i oeri ar y rac.
8 Taenwch yr eisin gwyrdd drosti a'i haddurno â'r licris a'r fferins i edrych yn debyg i'r gacen yn y llun.

Llygod i'w Llyncu!

Bydd angen
- Menig plastig i amddiffyn eich dwylo rhag y lliw du.

Cynhwysion
- Eisin rholio
- Lliw bwyd du
- Licris
- Cnau pin

Beth i'w wneud

Tylinwch yr eisin a'r lliw ynghyd i wneud siapiau llygod. Gosodwch ddarn o licris yn gynffon i bob un, a'r cnau yn glustiau.

Stori Ysbryd

Myrddin ap Dafydd

Y Bedd Gwag yng Nghonwy

Mae hen fynwent Conwy yng nghanol y dref yn llecyn tawel allan o gyrraedd prysurdeb y strydoedd sydd o'i chwmpas. Yno, mae rhywbeth prin iawn – bedd gwag – a dyma'r stori.

Pan godwyd y pontydd ar draws afon Conwy a phan gyrhaeddodd y rheilffordd y dref, dechreuodd ymwelwyr lifo i Gonwy i dreulio wythnos neu fwy yn y gwestai yn ystod yr haf. Teuluoedd cyfoethog iawn oedd y rhain, wrth gwrs, yn mwynhau'r golygfeydd trawiadol ac yn gwario llawer o arian ar eu gwyliau. Codwyd rhagor o westai yn fuan, ac roedd galw am fwy o weithwyr o'r ardal i fynd i weini ar y bobl fawr. O'i gymharu â chyflog morwyn fferm neu gyflog pysgotwraig, roedd cyflog morwyn mewn gwesty yn uchel iawn bryd hynny.

Un haf, daeth merch ifanc o ynys Môn i weithio yn un o'r gwestai. Roedd hi wedi clywed am yr arian da oedd i'w ennill yno ac roedd yn fodlon gweithio'n galed er mwyn cael cyflog da i fynd adref gyda hi ar ddiwedd yr haf.

Ond, yn fuan iawn, collodd flas ar yr antur. Pan ddechreuodd weithio yn y gwesty, dechreuodd hiraethu am ei chartref ac am ei phentref bach yn ôl ar ynys Môn. Ni fedrai fwyta ac yn fuan roedd ei chorff yn fain iawn. Aeth ei hwyneb yn llwyd ac roedd cylchoedd duon o gwmpas ei llygaid.

'Pan fydda i farw,' meddai wrth rai o weithwyr eraill y gwesty, 'gwnewch yn siŵr na fydda i'n cael fy nghladdu yng Nghonwy. Rydw i eisiau i 'nghorff gael ei gario yn ôl adref i'r pentref bach ym Môn.'

60

Chwerthin wnaeth ei chyd-weithwyr.

'Paid â rwdlan!' medden nhw. 'Dim ond wedi blino wyt ti. Ddim wedi arfer â gwaith caled!' Roedden nhw'n ifanc ac yn rhy brysur i wrando ar neges ddifrifol y ferch o Fôn.

Yna, un diwrnod yng nghanol y tymor ymwelwyr, bu farw'r forwyn fach. Roedd y gwesty'n eithriadol o brysur a doedd dim amdani ond trefnu angladd sydyn iddi – yn y fynwent yng nghanol y dref.

Ar ôl hynny, nid oedd dim byd fel petai'n mynd yn iawn yn y gwesty. Pan gerddodd y prif weinydd i mewn i'r neuadd fwyta ar noson yr angladd, baglodd wrth gario hambwrdd llawn gan beri i'r llestri a'r bwyd chwalu'n un llanast enbyd dros yr ymwelwyr a'r stafell i gyd. Roedd morwyn wrthi'n golchi'r llawr pan edrychodd i ffwrdd oddi wrth ei bwced am ennyd; pan drodd yn ôl, roedd y bwced wedi diflannu. Doedd dim modd tanio'r lampau, er bod digon o olew ynddyn nhw. Byddai jygiau dal dŵr poeth yn torri'n ddarnau mân . . .

Dechreuodd yr ymwelwyr gwyno. Aeth enw da'r gwesty i'r baw. Roedd y perchennog bron iawn wedi cyrraedd pen ei dennyn . . .

Yna, cofiodd un o ferched y gegin am ddymuniad y forwyn o Fôn. Soniodd iddi ddweud y dylai'i chorff gael ei gludo yn ôl i'w phentref genedigol.

Gwnaed trefniadau brys i godi ei chorff o'r bedd ym mynwent Conwy a'i roi i orwedd yn dawel mewn bedd ar lan afon Menai, mewn llecyn oedd mor agos at ei chalon ar hyd ei bywyd. Dychwelodd trefn i'r gwesty ac ni ddaeth dim i rwystro gwaith y gweision a'r morynion ar ôl hynny.

Ond mae'r bedd gwag wrth yr eglwys yno o hyd yn atgof am y ferch drist a fu farw o hiraeth.

Calan Gaeaf Drwy'r Byd i Gyd

Mae pobl drwy'r byd i gyd yn cynnal gwyliau a phartïon ar ddiwedd Hydref neu ddechrau Tachwedd ar adegau dathlu noson Calan Gaeaf (31 Hydref), Gŵyl yr Holl Saint (1 Tachwedd) a Gŵyl yr Holl Eneidiau (2 Tachwedd). Mae'n syndod gymaint o bethau tebyg sy'n rhan o ddathliadau'r holl wahanol wledydd i gyd.

Mewn Mynwent

Gan fod rhai pobl yn dal i gredu fod ysbrydion y meirw yn dod yn ôl i ymweld â'u teuluoedd, maen nhw'n gwneud pethau arbennig ger beddau anwyliaid i gofio amdanynt ac i ddathlu eu bywydau. Bydd pobl Mecsico yn bwyta bara a melysion siâp arch, sgerbwd neu benglog ac esgyrn croesion mewn picnic wrth fedd perthynas. Ym Mhortiwgal, cacennau siwgr yn cynnwys sinamon a pherlysiau yn ogystal â gwin a chnau castan bydd picnicwyr yn eu cario i'r fynwent.

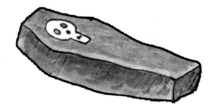

Bwydydd Gŵyl

Bydd Eidalwyr yn gwneud cacennau ar ffurf ffa ac yn eu galw'n 'Ffa'r Meirwon'. Yn Sbaen, byddant yn bwyta crwst arbennig o'r enw 'Esgyrn y Sanctaidd' i ddathlu.

62

Tân, Fflam a Golau

Ym Mecsico, maen nhw'n hoffi cynnau coelcerthi, tanio tân gwyllt a hongian lanternau ar y coed i groesawu eneidiau'r meirw yn eu hôl. Bydd plant yn rhedeg drwy'r strydoedd gyda lanternau yn gofyn am arian   arfer sy'n debyg i *trick or treat* sydd mor boblogaidd yng Ngogledd America. Er mwyn gwneud yr arfer yma'n fwy derbyniol ac yn llai cas yno ac ym Mhrydain, bydd llawer yn rhoi arian trick or treat at achosion da erbyn hyn. Mewn nifer o wledydd bydd plant yn mynd o ddrws i ddrws yn canu caneuon traddodiadol neu rigymau ac yn cael bara a chacennau am wneud.

Yng Ngwlad Belg, Yr Eidal ac Ynysoedd y Philipinau, mae pobl yn goleuo canhwyllau i gofio am eu perthnasau sydd wedi marw. Mewn gwledydd eraill bydd pobl yn mynd ar orymdaith gyda'r nos gan gario ffaglau i oleuo'u ffordd.

Yn Awstria a'r Eidal bydd rhai teuluoedd yn gadael bara a dŵr a lamp wedi'i goleuo ar y bwrdd pan fyddan nhw'n mynd i'r gwely, i groesawu eneidiau'r meirw.

Yn Japan, byddant yn dathlu Gŵyl O Bon. Gadewir bwyd a blodau o flaen lluniau o'r meirwon a bydd coelcerthi a thanau'n goleuo llwybrau i'r ysbrydion ddod yn ôl i'r ddaear.

Croeso i'r Ysbrydion

Yng Ngwlad Pwyl, gadewir y ffenestri a'r drysau ar agor i groesawu'r ysbrydion sy'n ymweld. Gosod cadeiriau o amgylch yr aelwyd bydd ambell deulu yng Ngweriniaeth Tsiec   er mwyn i'r byw a'r meirw gael eistedd gyda'i gilydd yn gynnes o flaen y tân. Poeni am ddiogelwch ysbrydion bydd Almaenwyr wrth guddio pob cyllell yn y tŷ rhag i'r ysbrydion frifo'u hunain.

Pryd o Fwg

Yn Hong Kong, mae'r bobl yn bwydo 'Ysbrydion Llwglyd' yn ystod Gŵyl Yue Lan. Byddant yn llosgi lluniau o arian a bwyd er mwyn i'r ysbrydion fwyta'r mwg draw ym myd y bwganod.

Mynegai